セピア色の春

高校人国記

はじめに

　風格ある校門、生徒の笑い声がこだまする教室、モクマオウの葉が風に揺れる校庭、直射日光が降り注ぐグラウンド。高校時代を思い出すたび、友人や恩師の姿とともに母校のさまざまな風景がよみがえります。

　琉球新報は 2020 年 12 月、県内各界で活躍した方々に高校時代の思い出や体験を語ってもらう連載企画「セピア色の春　高校人国記」をスタートしました。この 1 年で 8 つの高校の卒業生の証言を紹介しました。連載は今も続いています。

　私たちは、沖縄戦の終焉から間もない 1945 年夏から秋にかけて開校した石川高校やコザ高校、知念高校を連載の序盤に据えました。沖縄戦で米軍に捕らわれ、各地の収容地区に送られた若者たちが、米兵舎として使われたかまぼこ形のコンセットやかやぶきの校舎で学んだ時代です。

　これらの学校の創立は戦後沖縄の出発点と合致し、学校の歴史は沖縄戦後史と重なり合います。戦後初期に高校で学んだ人々の話を聞くたびに感じたのは、そのことです。

　連載は多くの読者の好評を得ました。戦後史の記録でもある証言の数々が読者の記憶を呼び起こし、共感を広げています。これからも私たちは高校という場を軸に、沖縄の青春群像と戦後史を描いていきます。

　連載をまとめた本の一冊目をお届けします。石川、コザ、知念、伊良部、那覇商業の各高校編を収めました（2020 年 12 月 16 日〜21 年 4 月 13 日、21 年 5 月 28 日〜7 月 14 日掲載）。本書を通じて沖縄の歩みを振り返り、将来像を思い描いていただければ幸いです。

2021 年 12 月

連載担当　小那覇安剛（琉球新報中部支社長・編集委員）

目 次

石川高校

コザ高校

知念高校

年齢と肩書きは新聞掲載時のままです

1

宮里政欣氏　　　　　長濱文子氏

石川高校の一期生、宮里政欣（92）＝沖縄ツーリスト相談役＝は75年前の通学路を懐かしむ。石川の中心地から高校がある伊波集落へ至る急な登り坂である。「高校への坂道を上るのは大変だった」

沖縄本島に上陸した米軍と日本軍の戦闘が続いていた1945年5月、米軍に収容された子どもたちが学ぶ「石川学園」（現在のうるま市立城前小学校）が戦後沖縄の出発地・石川収容地区に開校する。7月には石川高校の前身となる中等部が併設され、旧制中学校や高等女学校の生徒が入学した。宮里はその一人だった。

今帰仁村越地で生まれ、県立第三中学校で学んでいた宮里は沖縄戦で戦場に動員された。敗戦後、叔父のつてで石川のホテルに働いていた時、三中の教頭だった比嘉秀平から高校創設の話を聞く。「比嘉先生が『やがて高校ができる。準備しておきなさい』と教えてくれた」と宮里。比嘉は52年に琉球政府の初代行政主席となる。

「校舎は米軍のコンセット兵舎で、教科書はガリ版刷り。制服はなく、生徒は米軍のHBTを着け、軍靴をはいていた」と懐かしむ。戦火を生き延び、戦後沖縄の政治・行政の出発地となった石川に生まれた高校で学ぶ生徒たちは、貧しさの中で学ぶ喜びを共有した。

卒業後、宮里は沖縄外語学校に進み、卒業後は米国人が経営するタクシー会社などで働く。その後、外語学校で出会った東良恒の誘いで旅行業を歩み、58年に沖縄ツーリストの設立に参画した。

石川高校は男女共学だった。「女生徒の姿をあまり見掛けることはなかった」と宮里は語るが、一期生46人のうち32人は女性だった。その中に県なぎなた連盟の会長を務める長濱文子（91）がいた。

那覇で生まれ、県立第二高等女学校在学中、なぎなたに出合った。上級

生は「白梅学徒隊」に動員され戦場をさまよい、自身も陣地構築に駆り出された。戦後、夫の長濱弘と長濱企業グループを築いた。

自叙伝で長濱は「戦後、女学校は新制高校に移管されることになりましたが、その新制高校を私が卒業すると、勉学に大切な時期が戦争中であったのであまり勉強ができなかったろうと、父はお茶やお花を学ばせてくれました」と記す。

　　　　　　　＊

元嘉手納町長の宮城篤実（84）は10期生。北谷村（現嘉手納町）嘉手納で生まれ、沖縄戦時に疎開先の羽地村（現名護市）で米軍に捕われた。

石川高校沿革

1945年7月　戦前の中等学校に在学していた生徒49人を集め石川学園（現うるま市立城前小学校）で開校式
・46年7月　第1回卒業式
・56年4月　定時制課程商業科を設置
・58年4月　全日制課程に一般職業科、家政科を設置
・72年5月　日本復帰に伴い県立石川高校となる
・80年　定時制課程を閉課
・93年　家政科を廃科
・94年　特別進学クラスを編成

沖縄師範学校男子部に通っていた兄は鉄血勤皇師範隊に動員され、糸満市摩文仁で亡くなった。戦後、石川市で暮らし、石川高校に入学した。

バスケットボールに励み、政治家の

コンセット大講堂をバックにした6期生の卒業記念写真＝1951年3月（「石川高校創立50周年記念誌」より）

宮城篤実氏　　　　上原直彦氏

講演会で胸をときめかす生徒だった。「安里積千代さん、瀬長亀次郎さん、仲宗根源和さんの演説を聴き、感動した。特に瀬長さん。触発され、後に政治を意識するきっかけとなった」と振り返る。

卒業後、名護の私立英語学校を経て早稲田大学へ。学生運動にのめり込み、砂川闘争を闘った。「逮捕され、沖縄に戻されたら二度と大学で学べなくなる」という危機感を常に抱えていた。帰郷後、古謝得善嘉手納村長との出会いが契機となり行政、政治の道を歩む。

相次ぐ米軍事故に対する抗議や交渉を重ねていた町長在職時、語学力の大切さを痛感した。98年、町立嘉手納外語塾を設けたのもそのためだ。宮城は今もラジオ講座で英語の勉強を続けている。「これが毎日の楽しみだ」という。

「私は静かで目立たない生徒だった」と回想する宮城は2期後輩の存在に注目していた。「上原直彦さん、やんちゃでしたね」

琉球放送のディレクターで、民謡番組のパーソナリティーを長年務める上原直彦（82）は12期。沖縄の芸能を見つめ続けた放送人。「さんしんの日」を提唱した。「高校時代はやんちゃというより、うーまくー。いろんなことに首を突っ込んだ」

那覇市山下町の生まれ。沖縄戦で北部の山中をさまよい、金武で米軍に捕らわれ、石川で少年期を過ごした。城前小学校、石川中学校を経て石川高校へ。「学校に『週訓』というのがあって『標準語励行』も目標となった。標準語を使って日本人になろうということだったのだろう」

それでも自由な校風の中で高校生活を謳歌した。生徒会を裏で支える参謀役を任じていた。土地闘争が盛り上がりを見せた時代の中で政治意識も芽生えた。「ストライキをしたり、『高校生の立場から考える土地問題』というパンフレットを作って配ったりした。僕らのアイドルは徳田球一だった」

57年、石川高校の同級生で、後に埼玉新聞に転じたジャーナリスト近田洋一と共に琉球新報の入社試験を受

石川高校 校歌

作詞・比嘉俊成　作曲・中村永秀

伊波 城 頭（いはじょうとう）にほのぼのと　朝日直射（あさひただしゃ）すうまし原（はら）
大平洋（たいへいよう）の風薫（かぜかお）る　正気漲（せいきみなぎ）るその中（なか）に
世々（よよ）の鑑（かがみ）を磨（みが）きなす　わが清爽（せいそう）の学舎（まなびや）よ

QR コードから校歌が聞けます

けた。最終面接で「君たちはアカだそうだね」という池宮城秀意編集局長の問い掛けに上原は「権威に対して常に反発するという姿勢でなければ記者は務まらない」と反論した。池宮城の返事は「合格」。

基本姿勢は今も同じ。「権力と記者が癒着するのが一番怖いからね」。59年の宮森小ジェット機墜落事故の現場を取材した後、上原は琉球放送に移った。

アメリカのデモクラシーに憧れつつ米軍の圧政にあらがった青春時代だった。日本復帰を目指しながらも反ヤマトの意識もあった。「複雑な精神生活を送っていた」と上原は振り返る。

佐久本嗣男氏

泉川寛晃氏

糸数勝彦氏

2

世界チャンピオン7連覇を成し遂げた空手家はグラウンドを駆ける少年だった。21期の佐久本嗣男（73）

である。

スポーツ万能だった。「恩納小中学校では陸上シーズンは陸上選手。野球シーズンはキャッチャーをした。高校1年までバスケットボール。2年生から陸上に移った」と振り返る。小学校の運動会では空手に親しんだ。

高校2年の時、生徒会長となった。グラウンド整備を求め、校長に直談判

した。

「グラウンドが雑草だらけで、足が引っかかって走れなかった。『これでは練習できない。ブルドーザーを入れてくれ』と校長先生と交渉した。『こいつは…』と思ったでしょうね」

熱意は伝わった。学校はブルドーザーでグラウンドを整備した。陸上部の選手も好成績で応えた。

体育教師を目指し、東京の日本体育大学で学んだ。その間、代々木にあった空手道場に通い、技を磨いた。70年、帰郷し名護高校に赴任。「一子相伝」とされた空手の流派・劉衛流の門をたたく。世界に名だたる空手家の誕生である。

劉衛流の道場は県内に12カ所、960人が技を磨く。喜友名諒ら世界チャンピオンを生んだ。

「私たちは粛々とやるだけ。空手の伝統を守り、深化させていくのは喜友名や子どもたちだ。ぶれない、群れない、妥協しない。自分の信念を通していく」

世界の舞台に上ったスポーツ選手はほかにもいる。ロサンゼルス・ソウル五輪の近代五種日本代表となった泉川寛晃(62)である。

31期の泉川は甲子園球児だった。

75年、石川が夏の甲子園に出場した時の遊撃手である。「学校の授業よりも野球。野球を通していろんな人々と知り合った。甲子園に行ったおかげで周囲の目が変わった」と振り返る。

卒業後、自衛隊に入隊。運動能力を評価されて自衛隊体育学校へ異動し、近代五種と出合う。しかし、課題があった。「かなづちとまでは言わないが、50メートルを泳ぐのがやっとだった。周囲にいる選手の背中を見て、追いつき追い越せと頑張った」

メダルには届かなかったが「五輪にはなかなか行けるものではない。近代五種をやって良かった」と話す。現在は日本体育大で後進を指導する。「自分の力は未知。限界に挑み、目標を持てば可能性は出てくる」と力説する。

甲子園を目指し、お互いを鼓舞したことを忘れない。「石川を甲子園に、糸数を甲子園に―が合言葉だった。エースの糸数がいたから石川は甲子園に行けた」

甲子園出場チームの投手、糸数勝彦(62)は高校卒業後、プロ野球選手となった。

恩納村山田で生まれ、小学校の頃から野球に打ち込んだ。石川高校に入学し、夢の甲子園を目指した。高校

2年の時に肩を壊したが、チームは打撃力の向上で故障に苦しむエースを支えた。75年夏、甲子園出場が決まる。「夢がかなった。甲子園に行けたのはみんなの力だ」とうなずく。

甲子園で2試合を投げた。ボールを握る右手中指の爪が折れていたといい、マニキュアで塗り固めて痛みをこらえて戦った。浜松商に敗れた後、マニキュアをはがした。「皮一枚だけが残っていた。限界だった。後悔はありません」

この年のドラフト会議で大平洋クラブライオンズ(現埼玉西武ライオンズ)に指名され、入団した。ユニホームを脱いだのは81年。その間、チーム名が2度変わった。故障にも悩まされた。「悪戦苦闘の5年間だった。でも、プロは行きたくても行けるところではない。いい経験だった」ときっぱり語る。

今年、石川高校出身のタイシンガーブランドン大河の西武入団が決まった。

「最近は沖縄出身のプロ野球選手が増え、甲子園でも好成績を残すようになった。僕らの頃と違って、今の高校生は本土へのコンプレックスはない。自分の課題を探しながら頑張ってほしい」

糸数は後輩球児たちの活躍を今も見つめている。

泉川、糸数ら石川高校ナインの甲子園出場(1975年)の歴史を伝える記念碑

3

野ざらし延男氏　　玉城洋子氏

石川高校14期の俳人で元高校教師の野ざらし延男（79）＝本名・山城信男＝は大阪府で生まれ、戦後、石川市山城に引き揚げてきた。石川高校にはまだコンセット校舎が残っていた。「高窓はあるけど夏は暑い。汗を流しながら授業を受けた。それでも青空教室よりはいいという感じだった」

中学の頃は級友を笑わせる人気者だったというが、高校に入るとふさぎ込むようになった。

「貧乏でいつも飢えていた。人は何のために生きるのかという壁にぶつかり、自殺願望を抱えていた」と当時を振り返る。そんな頃、松尾芭蕉の「野ざらし紀行」と出合った。

「芭蕉の『野ざらしを心に風のしむ身かな』は人生覚醒の一句となった。命を懸けて旅をし、俳句を作っていく生き方に心を打たれた」。死の淵を見つめていた少年は作句に励み、雑記帳を自作の句で埋めた。

物の本質を問う姿勢を芭蕉から学んだ。「雨とは何か」を知るため土砂降りの中を歩いた。「土とは何か」を問い、山や畑の土を口に含んだ。「山城はおかしい、と後ろ指をさされることもあった」という。

高校卒業後の1959年6月、宮森小ジェット機墜落事故に遭遇する。

「畑を耕していると、道行く人が『ジェット機が落ちたぞ』と口々に言っていた。夕方、宮森小に行くと米兵と警察、住民が右往左往していた」

崩れ落ちた教室の中に焼け残った万国旗を見つけた。「万国旗は世界の国々が手をつないで平和になろうという意味があるのではないか。それなのに沖縄は米軍に支配されている」。抑えきれない憤りから「万国旗が焼けずに残る偽善の島」という句が生まれた。

高校教師となり、生徒に俳句を指導した。勤務した7校で13万余の俳句が生まれた。厳しい環境にあった生徒が更生を目指す沖縄女子学園でも俳句を教えた。現在、「天荒俳句会」を主宰する。

「私自身が問題児だった。俳句指導を通じて問題傾向のある生徒の心に

寄り添った。俳句を書かせると生徒は変わっていく」

歌人の玉城洋子（76）は18期。44年9月、石川で生まれた。その直後、父を戦争で失い、娘を懸命に育てる母の姿を見て育った。

小、中学校で学びながら、石川高校の先輩たちの姿に接してきた。男生徒と女生徒の仲が良かったことが印象に残るという。「石川高校は生徒がカップルで下校していた。『ロマンス学校』と言われていたこともあった」と懐かしむ。

石川中3年の時、宮森小の事故が起きた。「受験勉強を始めようという雰囲気の中での事故だった。きょうだいを失った級友もいた」と語る。勉強がおぼつかなくなり、学校に重苦しい空気が流れた。

入試は合格したが、結果には満足できなかった。石川高入学後は大学受験を意識し、家にこもって勉強に励んだ。「このままでは進学できない。母子家庭なので、一発で大学に受かるよう頑張った」

それでも体育祭など学校行事は思い出深い。楽しみだった校歌ダンスは今でも覚えている。日記に短歌を記すようになったのも高校時代からだった。

願いがかない、琉球大学の国文科に入学した。指導教官はひめゆり学徒隊の引率教諭だった仲宗根政善。方言研究に力を注いでいた。「石川高校は『標準語励行』。母にも方言を使ってはいけないと言われていた」と玉城。不思議に思い「方言は研究対象になるのですか。面白いですか」と仲宗

コンセット校舎での読書風景（「石川高校創立50周年記念誌」より）

根に尋ねたことがある。「仲宗根先生は笑っておられました」

卒業後、高校教師に。82年、教員の仲間たちと「紅短歌会」をつくった。管理教育に疑念を抱く教師が会に集い、それぞれの思いを歌に託した。玉城は父を奪った戦争を見つめ、復帰後も変わらぬ基地の重圧、人権侵害と向き合い、創作活動を続けてきた。

2020年12月に発刊した会の歌誌「くれない」222号に収めた連作「弾痕の穴」に次の歌がある。

「糸満の鎮魂の地より土砂・岩ずり二度と殺すな死者の魂」

4

久高政治氏

伊波みどり氏

伊波智恵子氏

1959年の宮森小学校米ジェット

機墜落事故の悲劇を後世に語り継ぐ「石川・宮森630会」の会長、久高政治（72）は22期。64年、石川高に入学した。バスケットボールに汗を流す高校生は「琉米親善」の空気を肌で感じながら、「祖国復帰」のうねりにも接した。

「学校にやって来た米兵がバスケットを指導し、ユニホームやボールをくれた。民間地域に米兵が自由に出入りする時代だった。瑞慶覧の体育館で琉米親善の大会もあった。その頃、石川高校近くにやってきた復帰協（沖縄県祖国復帰協議会）の復帰行進を日の丸で迎えることもあった」

宮森小5年の時、ジェット機墜落事故が起きた。運動場で遊んでいる時に爆音に驚き、学校から逃げた。高校に入学した後、事故で大けがを負った同級生と友達になったが、お互いの体験を語り合うことはなかった。

記憶から遠のいていた宮森の体験を意識するようになったのは、定年間近の頃。体験記の執筆を知人に請われて記録写真を見たことがきっかけだ。その後、630会の運動に参加し、証言の収集活動を始めた。「宮森の事故がどのような事故だったのか、運動に参加して初めて知った」と久高は

話す。

2018年、630会は平和の思いを込めた詩歌を公募する「平和メッセージ」事業に取り組んだ。寄せられた作品数は711点。審査員を務めたのは石川高校の先輩、野ざらし延男、玉城洋子らであった。

久高が小学生の頃、石川の自宅近くに、民謡グループ・フォーシスターズの姉妹4人が住んでいた。いずれも石川高校家政科の卒業生。そして3人が宮森小ジェット機墜落事故の体験者であった。三女で24期の伊波みどり（70）、四女で26期の伊波智恵子（68）は墜落の衝撃音と校内の混乱を忘れることができない。

姉妹には3人の兄がいたが、テニアンから日本へ引き揚げる時、乗っていた船が米軍に沈められ命を落とした。同じ船にいた母と長姉は奇跡的に生き延び、沖縄に戻った。戦後、石川のカバヤー（仮設住宅）で暮らした姉妹は帰郷した父から戦争のむなしさを幾度も聞かされた。

60年、フォーシスターズ結成。名付け親は照屋林助と共に石川の収容地区を回り、戦災でうちひしがれた人々を励ました小那覇舞天（本名・全孝）であった。4人は人気者となり、みどりと智恵子は高校に通いながらステージに立った。

みどりは「高校に迎えに来た車の中で化粧をして会場へ向かった。沖縄の年中行事を一手に引き受けるよ

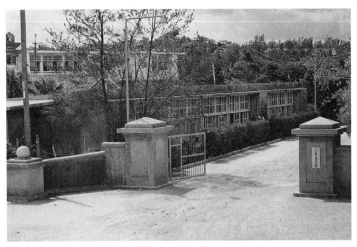

1970年ごろの石川高校の校門（卒業アルバムより）

うな忙しさだった」と語る。「高校では『あなた、おしろいのにおいがするね』と言われたことがある」と智恵子は笑う。

60年代末、反基地運動が広がった。みどりはリボンを身に着けて「B52撤去」を訴える集会に参加した。自身の宮森小での体験、父たちから聞いた戦争体験を思い浮かべながら。

そんな頃、親子ラジオで普久原恒勇の作品を聞く。民謡やお祝いの歌ばかりでいいのか悩んでいた智恵子は普久原メロディーに新鮮な驚きを感じた。「ああ、この歌だよ。私たちが歌いたいのは」

72年、復帰。歌を通じて、世替わりに翻弄（ほんろう）される県民と触れ合ってきた。みどりは「私たちは一生懸命に日本人になろうとした。でも、復帰してもヤマトンチューにはなれない」と語る。「アメリカ世、ヤマト世を見てきたけど、ウチナー世にはなかなかならない。心が休まらないね」と智恵子は言葉を継いだ。

結成から60年。生きている限り、歌い続けると誓う。4人が大切にしてきた作品の一つに「やっちー」がある。亡くなった3人の兄（やっちー）へ語り掛けるように姉妹は歌う。

「語らなや星に　天じゃらに橋かきて　覚出すさ　覚出すさ　童小の昔やっちーたい　うり語らなや」

曲は普久原恒勇、詞は石川高校の先輩、上原直彦である。

5

平良栄一氏　照屋林賢氏

大川豊治氏　伊波大志氏

戦後沖縄の政治、経済の発祥の地である石川は芸能復興の地でもあった。1945年12月、城前初等学校で開かれた「クリスマス演芸大会」は、戦後沖縄芸能の出発点とされる。アメリカの音楽文化も石川に流れ込んできた。

石川高校19期のテノール歌手、平良栄一（75）は台湾生まれ。敗戦で台湾を離れ、しばらく両親の出身地であ

る宮古で暮らした後、現在のうるま市石川へ渡ってきた。

「石川はアメリカの植民地のような感じだった」と平良は回想する。街中を練り歩くマリン兵の楽隊を追っかける音楽好きの少年だった。市内にあった球米文化会館で合唱に励んだ。石川高校では吹奏楽部に入部した。楽器はマリン兵のお下がりだった。

宮森小ジェット機墜落事故が起きたのは中学2年の時。弟は体験者だ。「宮森小の事故もあり、戦後の荒れた状況の中で石川高校は情操教育に力を入れていた。音楽、演劇、スポーツが活発だった」

琉球大学に1年通った後、武蔵野音大に進み、声楽家の道を歩んできた。「声が出る限り、歌いたい」と平良は語る。

照屋林賢(71)は定時制10期。77年、りんけんバンドを結成した。85年、オリオンビールのCM曲「ありがとう」がヒットし、その後も次々と話題作を発表した。映画「ティンクティンク」の監督、中学国語教科書に自作詞・曲の「春でぃむん」が採用されるなど多方面で活躍している。94年、沖縄音楽エンターテインメント事業を手掛けるアジマァを設立。2018年、沖縄の音楽文化を活用して誘客を図るリンケンズホテルを北谷町美浜にオープンした。

石川を拠点に活動するタレント大川豊治(46)は48期。95年から2001年まで、りんけんバンドで活動した。現在、沖縄テレビの人気番組「アゲアゲめし」のリポーターとして県内を駆け回っている。

小学校の頃からアナウンサーにあこがれ、高校在学時から県内の民放テレビ番組に出演した。大川の活動を周囲は温かく見守った。

「石川は戦後の芸能発祥の地ということもあって、活動には寛大だった。同級生は普通に接してくれたし、先生も『大人の中で社会勉強をしなさい』と激励してくれた」と振り返る。

「那覇に住んだら、もっと仕事が増えるよ」と助言してくれる人もいるが、石川での暮らしにこだわる。りんけんバンドにいたころの照屋の言葉が心に残っている。

「林賢さんは『ウチナーンチュは足元の宝に気付かない人が多い。足元の宝に気を付けて』と話してくれた。文化、歴史、芸能がウチナーの宝。石川で宝探しをやっていきたい」

地域の集会場で市指定文化財でもある「石川部落事務所」に足を運び、先輩の話を聞く。小那覇舞天（本名・全孝）と照屋の父、照屋林助の漫談が戦火を生き延びた人々を慰めたという逸話も石川の宝だ。「この建物ができて80年余り。舞天先生もここで演目を披露したという。林助さんのことなど、いろんな話が聞けて楽しいし、勉強になる」と大川は笑顔を浮かべる。

1年ほど闘牛の実況に携わった。2020年5月に急逝した闘牛写真家の久高幸枝は高校の同期。「彼女にとって闘牛は生きる糧だった。闘牛愛はすごかった」

現在、闘牛実況アナウンサーとして活躍する伊波大志（36）は58期。実家は牛カラヤー（牛飼い）だ。新型コロナウイルス感染症の影響で中断していた全島闘牛大会が2020年11月に再開した時の盛況に驚いた。

「前日夜から開場を待つ人がいる。50人くらいの小学生が朝6時から待っていた。この時代、子どもから年配の方まで夢中になれる文化は他にはない」

高校2年の時、好きな音楽を校内放送で紹介したくて放送部に入った。音響操作やアナウンスも担当した。そ

れが評判となった。「先生に『声がいい』と褒められ、声を使う仕事をやりたいと思うようになった」と伊波は振り返る。

高校卒業後、福岡の専門学校でアナウンサーの技術を学んだ。帰郷後、ラジオのリポーターとして活動する中で、自分にしかできない仕事はないかと考える中で、ふと気付いた。「自分には闘牛がある」

闘牛の実況を始めて10年。実況に加え、ネットでも情報を発信している。2012年、自身の結婚披露宴を闘牛場で開いたのも、もっと闘牛を知ってほしいという一心からだった。

「女性のファン層を広げたい。闘牛場の周辺にカフェやフードコートを整備するなど施設の充実が必要だ。地域とのコラボも。闘牛は変わっていく。やるべきことは、もっとある」

伊波は闘牛の、そして石川の未来を見つめている。

6

2013年9月、長らく途絶えていた石川高校の「校歌ダンス」が体育祭で復活した。踊り手の中心は1958年に卒業した13期生の同窓生。その中に31期で県議の山内末子（62）も加

山内末子氏

長浜善巳氏

石川研氏

わって踊った。

「校歌ダンスを踊るのは三十数年ぶりだったけれど体は覚えていた。メロディーを聞いて、自然と手足が動いた」

生徒会の副会長を務める活発な生徒だった。高校1年だった73年、「復帰後の課題」という演題で校内の弁論大会に出場した。「復帰したのに私たちの生活は変わっていない。もっと頑張ろう」と呼び掛けた。

大学を卒業して子育てに励み、PTA活動に打ち込んだ。子育て環境や教育環境の充実を求めて政治の道へと進む。94年、女性初の石川市議となり、2008年に県議に転じた。

創立から75年余、戦後を牽引した

人材が巣立った母校を山内は誇りに感じてきた。「戦後の全てが石川から始まった。若い人にも母校への誇りをもってほしい」と願っている。

恩納村長の長浜善巳(55)は39期。サッカー部に入り、グラウンドを駆ける高校生だった。「部活動が盛んで、大会では学校挙げて応援してくれた。絆が強かった」と懐かしむ。

恩納村仲泊で生まれ育ち、仲泊小中学校から石川高へ進んだ。「小中学校では1学年1クラスだったが、高校では8クラス。生徒の多さに圧倒された」と振り返る。

高校卒業後、「世の中を見たい」という思いから本土と沖縄で飲食店の店員など、さまざまな職に就いた。琉球大学に入学したのは1999年、既に34歳になっていた。

村議を経て2015年、村長に初当選。現在2期目。「役場には石川高校の同世代がいて、私の仕事を支えてくれる。あうんの呼吸で分かり合える」と長浜。石川高で育まれた絆が生きている。

戦後初の高校として45年に創立した石川高校から県内各界で活躍する人材が巣立った。

恩納村長を経て稲嶺県政で県出納

長、副知事を歴任した比嘉茂政は11期。元国場組会長で県建設業協会会長など経済界の要職を務めた国場幸一郎は4期。文化・芸能・スポーツの分野でもリーダーやパイオニアが育った。

沖縄初のJリーガーとなった石川研（50）は43期。現在はKBC学園未来高校のサッカー部監督として選手を指導している。

父の石川力は52年7月、戦後初めて野球部が全国高校野球選手権東九州2次予選に出場した時の選手だった。後に県高野連審判部長や会長を務めた。石川高校が創立50年を迎えた時の校長でもあった。

研自身は小学校の頃からサッカーボールと親しみ、中学で本格的にサッカーを始めた。「父が野球をやっていたことがプレッシャーになったかも

しれない」と回想する。

石川高校ではゴールキーパーとして頭角を現した。2年の時、国体選抜選手に入り、海外遠征も経験した。「ブラジル、アルゼンチンに遠征に行った時、プロ選手の生活を見ることができた。あこがれを感じた」と語る。おぼろげながら、自身の将来像を少しずつ描くようになった。

沖縄国際大を経て、Jリーグ開幕前年の92年に名古屋グランパスエイトに入団。その後、ブランメル仙台、水戸ホーリーホックなどでプレーし、2004年から指導者の道を歩み始めた。KBC学園の監督に就任したのは16年。就任会見では「沖縄に恩返しをしたい」と語り、「世界に通用する選手を輩出できるチームをつくっていきたい」と意欲を見せた。

高校生と向き合って4年が過ぎた。

1955年の運動会で披露した校歌ダンス。グラウンドいっぱいに広がって踊った（石川高校40周年記念誌より）

自らの高校時代を振り返りながら「1日24時間はみな平等だ。高校時代は好きなことができる。自分の能力を上げることに時間を振り分けてほしい」と要望する。そして自身が高校時代に戻れるなら「本を読み、さまざまな言語の人々とコミュニケーションを取りたい」と石川は語る。サッカーで培った知識を世界に伝えたいという思いからだ。

沖縄初のJリーガーはパイオニア精神を抱き続ける。

コザ高校

1

有銘政夫氏　　　新川明氏

敗戦後初の高校となった石川高校に続き、コザ高校が1945年10月7日、室川初等学校（コザ第二小学校）に併置する形で創設された。室川初等学校は、収容所キャンプ・コザに集められた子供たちが学ぶ場として置かれた小学校の一つ。コザ高校は翌年3月、現在地に移る。創立当時は「胡差高等学校」という漢字の表記が使われていた。

沖教組中頭支部委員長や中部地区労議長を歴任し、反戦・平和運動を牽引した有銘政夫（89）は5期。46年に入学し、50年に卒業した。6・3・3制移行で2年生を2度履修した。4年間、高校を通ったことになる。

「入学した時は漢字の胡差高校。2年生が終わった後、新2年生と言っていた。卒業時はコザ高校だった」と有銘は語る。手元に残る卒業証書には「コザ高等学校」と記してある。

有銘は1931年、サイパンで生まれ、44年6月に始まった地上戦に巻き込まれた。46年に帰郷。海外引き揚げ者らを収容する「インヌミ収容所」を経て、安慶田で暮らし、コザ高校へ入学した。越来村森根にあった実家の土地は嘉手納基地にのみ込まれたままだ。

米軍払い下げのコンセット兵舎が

校舎だった。台風でトタンの屋根が飛ばされたことがあった。それでも近隣の米軍基地から飛んできた別のトタンで校舎を修復した。台風の後、生徒はハンマーを持参した。

高校の周辺には田んぼがあった。「生徒で米を作ったよ。それを売って学校の資金にしたんだ」と有銘は振り返る。

教科書はなく、ガリ版刷りのプリントで授業を受けた。日本は新憲法で軍国主義を否定していることを教師は明確に教えてくれたという。「ところが沖縄は全て軍の命令で動いていた。行政も軍の指揮下にあった」

高校卒業後、有銘は青年団活動に力を注ぎ、米軍による新規接収反対な

ど土地４原則の貫徹を掲げて闘う「島ぐるみ闘争」に奔走した。

「軍作業員が青年団の中心だった。基地の中で『三等国民』として扱われ、最も差別を感じていた。青年団の中で軍作業員はウチナーンチュの誇りを回復したんだ」

元沖縄タイムス会長でジャーナリストの新川明（89）も５期。31年、北谷村で生まれ、少年期を石垣で過ごした。46年４月、母やきょうだいと共に石垣から船に乗って現在のホワイトビーチ付近に上陸し、有銘と同様、米軍のトラックでインヌミ収容所に運ばれた。

石垣を離れる前、二度目の受験で県立八重山中学校に合格しており、コ

戦後２番目の高校として生まれたコザ高校

ザ高校に編入することができた。「高校時代は書物がほとんどなかったが、文学が好きで自己流の短歌を作っていた」と語る。

コザ高校創立20年記念誌に寄せた回想記で新川は「希望も夢もなく、まさしくすべての人たちは『ゼロの時代』を生きていたのがその時代だった」と在学時を振り返っている。しかし、敗戦後の虚脱感に打ちひしがれていたわけではなかったという。

「むしろ開放感があった。戦前、戦中の軍国主義から生き残ったという感じを持っていた。僕は沖縄戦のすさまじい体験はないが、石垣では軍の強制でマラリア地帯に押し込められ、苦しい思いをした」

新川は一度目の八重山中受験で不合格となった。体調が悪く、体力テス

トをパスしたことが影響した。「軍事色が濃厚な時代で、学科より体力を重視していたためだろう。不合格となり、2年ほど家にいた」と新川。八重山中に入学していた2歳上の兄や同級生は鉄血勤皇隊に動員された。

敗戦によって軍国主義のくびきから解かれ、コザ高で開放感に触れた

1947年7月の朝礼風景。下駄履きの生徒もいる（「コザ高校創立50周年記念誌」より）

新川は1950年、琉球大学に入学。「琉大文学」などで文学・評論活動を展開していく。

2

普久原恒勇氏　　　備瀬善勝氏

1949年、音楽家の普久原恒勇(88)は鹿児島に向かう密航船に乗った。普久原は前年、コザ高校を退学していた。

「与論、沖永良部、喜界と島伝いに鹿児島に向かった。昼は民家に隠れて、航行は夜。見つかるといけないので甲板に出てたばこを吸うこともできなかった」

鹿児島に着いた普久原は、「チコンキー・フクバル」の名で知られる養父、普久原朝喜が暮らす大阪へ。家業のマルフクレコードを手伝いながら音楽を学んだ。「芭蕉布」など県民に歌い継がれる「普久原メロディー」の前史である。

32年、大阪生まれ。幼少時に越来村に渡り、越来国民学校で学んだ。44年、県立二中に入学したが戦争で授業どころではなく、戦後、コザ高校に入り直した。途中で室川初等学校から現在地に学校が移る。

「学校から『スコップを持って来なさい』と言われた。整地ですよ。学校の周囲は山みたいなもの。ブルドーザーはなく、生徒が時間をかけて整地した」

普久原は入学から数カ月で退学する。「校内にはまだ軍国主義のなごりがあった。よく先輩たちに殴られ、嫌になった」というのが退学の理由であった。その後、親類から叱られてコザ高校に再入学し、1年生をやり直した。

在学時の校長は琉球古典音楽の研究者として知られる世礼国男。コザ高校校歌の作詞者でもある。「私たちはビンダレー先生と呼んでいた。かぶっていた帽子がビンダレー(洗面器)みたいだったから」と普久原は語る。

米国人への抵抗を感じる出来事があった。

「校舎建設のため米軍が寄付をするといい、通訳が朝礼にやってきて『サンキュー』とお礼を言う練習を強制された。これは支配者と被支配者の関係だ。不満を感じるけど、口に出

QRコードから校歌が聞けます

したら先生に叱られるので黙っていた。これでは戦前と全く同じだ」

　その後、普久原は再びコザ高を退学した。48年の6・3・3制移行で同じ学年を2度履修しなければならないことを知り、憤慨したためだった。この年、ハウスボーイとして米軍基地で働き出す。

　「当時の米兵は字が書けない人が多かった。ラブレターを書きたいという軍曹に頼まれ『LOVE』のつづりを教えたことがある。僕はコザ高校生だったんだから、『アイ・ラブ・ユー』くらいは学んだよ」

　音楽プロデューサーの備瀬善勝（81）もコザ高校で学んだ。「ビセカツ」の筆名で知られる作詞家でもあり、普久原との共作も多い。

　39年、那覇の生まれ。44年9月、本部町渡久地に引っ越し、10・10空襲を体験した。戦後、コザで暮らすようになり、54年にコザ高校に入学

生徒総出で校内を整地する（1950年ごろ、「コザ高校創立50周年記念誌」より）

した。

活発な生徒だった。「高校1年で演劇クラブを作った。ウチナー芝居や映画もよく見た」と振り返る。文芸クラブにも所属し、文芸誌「緑丘」に詩や評論を寄せた。

その頃、演劇クラブに入りたいという1学年上の先輩が訪ねてきた。「高宮城実政さん。後に沖縄芝居で活躍する北村三郎さんです」

コザ高13期として卒業する直前、備瀬は家庭の事情で本部町に引っ越した。高校3年の3学期から北山高校に通ったが、週末はバスでコザに戻り、演劇クラブの活動に参加した。卒業校は北山高校だったがクラブ活動はコザ高生を貫いた。

卒業後、警察官などさまざまな職業を経験した。コザの製パン工場に勤めていた頃、普久原と出会う。68年、佐藤栄作首相を皮肉った「帰って来たよ」に普久原が曲を付け、男性4人組のコーラスグループ・ホップトーンズが歌った。作詞家ビセカツの誕生である。

「沖縄にやって来て『沖縄が復帰しない限り、日本の戦後は終らない』と発言した首相に『ホラ吹きやがって』と言いたかったんだ」

70年、キャンパスレコードを開店。作詞や音楽プロデュース活動と並行して、「芝居塾ばん」で北村と役者の育成に取り組んだ。

コザ高校で学びながら卒業しなかった普久原、備瀬の2人は2018年、JASRAC音楽文化賞を受賞した。受賞理由は「沖縄文化に根差した多彩なジャンルの作品を全国に発信してきた」であった。

3

幸喜良秀氏　　　　志田房子氏

コザ高校12期の演出家、幸喜良秀(82)は1950年代半ばのコザ十字路を思い出す。「僕たちにとって通学路のコザ十字路は悲しい地だった」

十字路を挟んで黒人街と白人街に米兵の歓楽街が分かれていた。幸喜はわが物顔で十字路を闊歩する米兵に無言の抵抗を試みる。

「十字路を通って歓楽街に行く米兵に道を譲らず、まっすぐ歩いた。ここはわれわれの道だ、米兵たちの道

ではない、と。毎日、何人の米兵に道を譲らず十字路を渡れるかが勝負だった」

コザ高校の校歌に誇りを抱いていた。「校歌で『自由の学園』『平和の学園』とうたった。自由と平和には抵抗の意味があった。僕らは自由と平和のために闘うという思いだった」と幸喜は語る。作詞者は3代目校長で琉球古典音楽研究家の世礼国男である。

女児が米兵に殺害される事件に悲しさを怒りを覚えた。米軍の強制土地接収に抗い、伊佐浜土地闘争に加わった。「私たちの共通語は『ウチナーンチュも人間だ』だった。それは今も変わらない」

文芸クラブの部長として創作活動に力を注ぎ、文芸誌「緑丘」を編んだ。当時、出版物は許可制だった。米統治を批判する内容を巡って「米軍ににらまれないように」と指導する教師と対立した。「『検閲は民主主義に反する』と教師に反論した。生徒を守るという愛情から指導したのだろうが、僕たちは苦痛だった」

幸喜は米軍によって命を奪われた少女を悼み、人権抑圧への抵抗を刻んだ詩「少女の死」を「緑丘」5号（1956年刊）に載せた。

「我々は忘れてはいけない。／島の土に宿る我等の同胞の魂を！！／そして／島にこぼれた血は一滴も拭ってはいけない！！」

在学時、演劇クラブの部長で、作詞家・音楽プロデューサーとなる備瀬善勝に誘われ、芝居に出た。幸喜は親しみを込めて備瀬を「善ちゃん」と呼ぶ。

「善ちゃんに言われて『三年寝太郎』という芝居に出演した。おかげで今日まで芝居から抜けられなくなったよ」。こう話す幸喜は穏やかな笑顔を浮かべている。

琉球大学国文科に進んだ幸喜は演劇集団「創造」を結成し、演出家の道を歩み出す。文芸クラブで共に活動した桑江常光、戯曲「人類館」を書いた知念正真、「人類館」で調教師役を演じた内間安男が「創造」を支えた。いずれもコザ高卒である。87年設立の「沖縄芝居実験劇場」では小説家の大城立裕らと共に沖縄演劇の新境地を切り開いた。

幸喜の同期に、国指定重要無形文化財「琉球舞踊」保持者で琉球舞踊重踊流初代宗家の志田房子（83）がいる。

那覇で生まれ、3歳で玉城盛重に

師事した。沖縄戦でやんばるの山中に避難し、戦後はコザで暮らした。47年2月、沖縄民政府文化部の芸能審査の告知記事が新聞に載った。「受けてみようか」という母の一声で受験したところ合格し、先輩の舞踊家と共に各地で踊るようになった。

「軍に頼まれ、基地を回って踊った。ギャラ代わりにたばこや食べ物などいろんな物資をもらった。近所の方々にも分け、喜んでもらった」

53年11月、コザ中3年生の志田は文部省主催の芸能祭に出演する芸能視察団に加わる。コザ高在学時の55年8月にはハワイにも招かれた。激励芸能祭がコザで開かれ、盛大に志田を送り出した。

コザ高周辺にある米軍の歓楽街と

の関わりで忘れがたい思い出がある。生徒の安全を考え、女生徒は髪は短く、男生徒は丸刈りにするよう指導された。

「私は舞台に上がる。髪は命」と信じる志田は苦しい立場にあった。学校の指導を拒み、朝礼で一人立たされることもあった。それでも卒業まで髪を切らずに三つ編みをして登校した。「この経験が私のバックボーンになったと思っている」と振り返る。

「私の髪は生活の一部。将来に向かって必要な髪だった。周囲も『ふー子頑張れ』と励ましてくれた。髪を切りなさいと学校に言われたが私は耐えた。この道一筋に進むんだという覚悟を決めていた」

コザ高を卒業した後も「この道」を

1960年代のコザ十字路周辺（沖縄県公文書館所蔵）

歩み続けた志田は昨年12月、国立劇場おきなわで芸歴80年記念公演を開いた。

4

比屋根照夫氏　　　謝名元慶福氏

1957年2月に刊行されたコザ高校文芸クラブの文芸誌「緑丘」8号に「生活の中から」と題した短歌の連作が掲載されている。作者は13期で琉球大学名誉教授の比屋根照夫（81）である。土地を守る4原則を掲げた「島ぐるみ闘争」の最中に詠まれた。

「土地接収の脅威吾等を覆ふ黙然として逆ふ術なき吾等農民」

「吹き荒ぶ風と雨に感覚はうせて百姓の苦しみは全身を覆いて去らず」

「緑丘」には短編小説、詩歌、評論など多彩な作品が収められている。「激烈な反米意識が『緑丘』でストレートに表現されていた。言葉は硬いけれども、当時の青年たちの思いが出ている」と比屋根は語る。

39年に名古屋で生まれた。終戦後の46年に旧美里村登川に引き揚げ、基地の金網を見て育った。夜になると米兵がたびたび集落を襲った。「私たちの村だけで幾人もの女性が被害にあった」

55年にコザ高に入学した。明朗闊達な校風の中、生徒たちは部活動を楽しんだ。男女が手をつなぎ、フォークダンスを踊ったこともあったのも懐かしい思い出だ。「戦前の軍国主義から解放されたことが反映したのだろう」と回想する。

そんな明るい高校生活を痛ましい事故が襲った。56年11月、コザ十字路付近で酔った米兵が運転する車両が登校中の女生徒の列に突っ込み、死傷者が出た。亡くなった女生徒は比屋根の1学年後輩だった。全校生徒で葬式に参列した。忘れがたい悲しい記憶である。

「沖縄に人権はなかった。高校生は反米・反植民地運動の影響を受け、政治意識は高まった」

琉球大学に進み、新聞部の部員となる。59年6月の宮森小米軍ジェット機墜落事故では生々しい現場を取材した。その時、同世代の一人の友人を訪ねた。「中屋幸吉君です。姪を失い、憔悴（しょうすい）していた。彼はそれをきっか

けに、いろんな政治活動に入った」

　中屋は66年、自ら命を絶つ。遺稿集「名前よ立って歩け」の解題「一つの終焉—沖縄戦後世代の軌跡」の中で比屋根は「沖縄の戦後世代は、こうした異民族支配の中で時代の重圧と矛盾に覚醒する」と記す。

　比屋根は琉球新報社に勤めた後、沖縄近現代の思想と言論の研究者としての道を歩む。

　戯曲家の謝名元慶福（79）は15期。1年生のころ、「緑丘」で作品を書く比屋根や演劇クラブで活動する備瀬善勝ら先輩の姿を見ていた。「今思うとすごい人、変わった人たちがいた」

　42年に那覇で生まれ、父の生まれ故郷である平安座島で育った。この島で「10・10空襲」に遭っている。初めて戯曲を書いたのは中学生の頃だった。「島にあった親子ラジオに放送劇を書いていた。作家になる夢を持っていた」

　島には劇場もあった。板で囲った簡単な造りで観客は草むらに座って芝居を見た。「高安六郎さんら、いろんな芝居が来ていた。稽古も見ることができた」と謝名元は語る。戯曲家の原点である。

　コザ高校の自由な雰囲気にあこがれ、入学した。放送クラブに所属し、校内放送を担当したり、放送劇を作ったりした。放送部には演出家の幸喜良秀らと共に演劇集団「創造」で活動し、戯曲「人類館」を書いた知念正真がいた。「知念さんが『俺も入れてくれよ』と言ってきたんです」

　文芸誌「緑丘」に集う文芸クラブのメンバーと同様、放送クラブも米統治

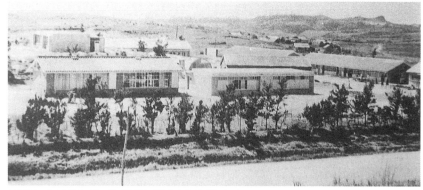

1955年ごろの校舎（「コザ高校創立50周年記念誌」より）

下にある沖縄の現実と向き合うようになる。謝名元ら部員は「デンスケ」と呼ばれた録音機を肩に掛け基地の町を歩き回った。コザ高の女生徒が犠牲となった56年の事故も取材した。

「事故は僕がコザ高校に入学する前年のことだった。嘉間良に住んでいた遺族を訪ねて話を聞き『基地の町から』という番組で取り上げた」

謝名元はコザ高を卒業した後、東京・中野にあったテレビドラマ研究所で学び、帰郷後に琉球放送やNHKで働く。並行して創作活動に取り組み、北島角子の一人芝居「島口説」や「命口説」などの話題作を次々と発表した。

基地の町で青春期を送った謝名元の作品には米統治と向き合い、戦後を生き抜いた島人の姿が刻まれている。

5

新川秀清氏　　　稲嶺勇氏

コザ市、沖縄市を通じて初のコザ高校出身市長となったのは11期の新川秀清(84)であった。1990年に初当選。米軍基地を抱える沖縄市政を2期担った。

37年、旧越来村中原で生まれた。かつての屋敷は現在、嘉手納基地の中にある。沖縄戦で上陸した米軍に捕らわれ、現在の宜野座村福山にあった収容所に送られた。「福山は忘れることができない。木の下に寝て暮らした。惨めだったよ」

越来に引き揚げた新川は諸見小学校、コザ中学校を経て53年にコザ高校に入学した。同期に役者の北村三郎がいた。本名は高宮城実政。「彼とは一緒に遊んだ。当時から『芝居しー(役者)になるんだ』と決めていた」と振り返る。

「銃剣とブルドーザー」という言葉に象徴される米軍の強制土地接収と、それに抵抗する「島ぐるみ闘争」が広がった時代だった。新川は伊佐浜の土地接収を目の当たりにした。

「当時、各地の高校生が土地接収に反対していた。コザ高でも先輩が『伊佐浜に行こう』と呼び掛け、私も授業を放り出して伊佐浜に向かった。ところが、中には入れずにブルが家を壊すのを見ていた。何もできなかった」

卒業後、トラック運転手を経て中部

地区の社会福祉協議会で働く。そこで戦災孤児や女性問題に取り組み「福祉の母」と呼ばれた島マスと出会った。青年団活動にも参加し、復帰後に社会党県議となる4期の中根章や沖教組中頭支部委員長となった5期の有銘政夫らコザ高校の先輩の薫陶を受ける。

その後、大山朝常市長の誘いでコザ市役所に入る。72年の施政権返還を前にした大山の言葉を新川は忘れることができない。

「大山先生は『ヤマトの世からアメリカ世、アメリカ世からまたヤマトの世というけどヤマト世になってはいけない。ウチナー世にならなければいけないよ』と言っていた。先のことを見ていたんでしょうね」

新川は県議を経て、現在は嘉手納基地爆音訴訟の原告団長として米軍に奪われた「静かな夜」を取り戻そうと訴え続けている。

1999年に沖縄市出身初の沖縄署長となったのが17期の稲嶺勇（77）である。「警官になったコザ高校出身者は多い。僕らは『中部の名門コザ高校』と呼んでいるんです」といたずらっぽく話す。

43年、旧越来村の嘉間良で生まれ育った。北谷町上勢頭にあった父祖の地は米軍に接収された。

59年、コザ高校に入学。嘉間良から歩いて登校し、バス賃は小遣いに回した。下校時に仲間と天ぷらを食べるのが楽しみだった。

「現在の銀天街の天ぷら屋に集ま

1950年代のコザ高校の正門（「コザ高13期卒25周年記念誌」より）

り、ヌチャーシー（お金を出し合って）して天ぷらを買って食べた。天ぷら屋は進学や就職などの情報交換の場だった」

在学時は野球やバスケットボール、柔道が強かった。自身は陸上競技の800メートル走で学校代表となった。入学の時点では「島ぐるみ闘争」は終息に向かっていた。英語のヒアリングの授業を担当する米兵が学校を訪れた。放課後は野球のノック練習に興ずる米兵もいた。「僕らの間では反米感情はなかった」

59年1月、アルバイトで新聞配達をしていた稲嶺は偶然、殺人事件の第2目撃者となりコザ署の事情聴取を受ける。その経験から警察官を目指し、62年に那覇署の巡査となった。普天間署の刑事だった70年12月、「コザ騒動」に遭遇する。「時代が生んだ事件」というのが稲嶺の認識である。

2004年、県警本部刑事部長を最後に40年余の刑事生活を終えた。米軍事件で容疑者の身柄を取れず悔しい思いをした。「事件の真相を解明し、悪いことをやった者を捕まえるという点では米側の刑事も同じだった。ただ政治的な問題で『上の方』とは感覚は違ったような気がする」

コザ高校の先輩で親交があった一人に県議だった中根章がいた。「革新の県議となぜ仲が良いのかと聞かれた。だけど私たちは同じ『名門コザ高校』の出身だ」と笑う。

退職後、稲嶺は障がい者のスポーツを支援する「スペシャルオリンピックス」に携わる。17年から児童養護施設・美さと児童園を運営する国際福祉会の理事長を務めている。

6

川満勝弘氏　　　佐渡山豊氏

「かっちゃん」の愛称で知られるロックミュージシャンの川満勝弘（76）はコザ高校の18期である。入学は1960年。ロック少年ではなく卓球少年だった。「昔のことなので、もう忘れたなあ」

44年、宮古の生まれ。小学4年生の頃、出稼ぎに来ていた母を追って、コザにやって来た。当時のことを2007年の本紙取材に語った。

「僕はこんな僕に生まれたかったんじゃない。コザという街が、勝手にこんな僕を生んでしまったんだ。宮古からコザに来たのは母に会うため。10歳になっていたかな。通りには『アメリカー』がたくさんいるし、ジュークボックスからは絶え間なく音楽が流れていた。見るもの、聞くもの、におうものすべて、子どもには刺激が強すぎる街だった」

コザ中学校に通っているころ、現在の一番街にあった卓球場に出入りし、後に音楽活動を共にする喜屋武幸雄とゲームを楽しんだ。「何となく卓球をやっているうちに強くなったよ」と振り返る。

事実、川満は強かった。59年9月の第1回中学校卓球選手権大会の個人戦で優勝した。コザ高校でも卓球部に所属し、62年の岡山国体に出場した。ロックミュージシャンの意外な一面である。

卒業後の63年に上京し、既に東京で働いていた喜屋武らとバンドを結成。64年に那覇でコンサートを開いた。エンターテイナーかっちゃんのスタートである。

「コザ騒動」が起きた70年12月20日未明、川満は胡屋十字路近くで演奏をしていた。演奏に夢中で外の騒ぎには気付かなかったという。翌年、「コンディショングリーン」を結成した。バンド名は台風時などに軍関係者の外出や繁華街への立ち入りを禁じる米軍基地の警戒レベルに由来する。

コロナ禍でミュージシャンの活動が制限されている。自宅で過ごす川満は電話の向こうで「近いうちに出るはずよ」と話した。その予告通り、2021年2月5日から3日間、ライブ映像をネット配信した。

シンガー・ソングライターで24期の佐渡山豊（70）はコザ騒動から50年を経た2020年12月19日夜、胡屋十字路にあるミュージックタウン音市場のステージに立った。代表曲の「ドゥチュイムニィ」や差別の連鎖に斬り込んだ「人類館事件の歌」などと共にコザ騒動をテーマとした「焼き打ち通りのバラード」を歌った。

騒動の夜、琉球大の学生だった佐渡山は中の町にあった仲間の溜まり場にきた。そこへ友人が飛び込んできた。

「ゆたか、革命どぅ。とぉ、わったーもやろう」

外に出ると、群衆が米軍車両をひっくり返し、火を放っていた。激しい住

民の抵抗が、佐渡山には静かで整然とした行動に見えた。

「飲み屋のおばさんたちが『黒人の車はやるな。彼らはわれわれと似ているから』と教えてくれた。とても冷静だった。何とあらがうべきかを知っていた」

佐渡山も３台ほどの車をひっくり返した。

50年生まれ。中学の頃から、兄が質屋で仕入れてきたギターに親しんできた。練習したのはフォークソングやロックではなく昭和の懐メロである。「家にあった古賀政男の『影を慕いて』のレコードを聞き、弾いていた」

66年にコザ高校に入学。天体観測クラブを結成し、ギタークラブに入った。フォークソングの影響を受け、初恋の人を思い、オリジナルソングを作った。そのころ書いた日記を基に「ドゥチュイムニィ」が生まれた。

教公二法阻止闘争や全軍労闘争に象徴される沖縄の激動を肌で感じた。闘う教員の姿に刺激を受けた。復帰への疑念も生まれた。

「高校生の時に先生たちの活躍を見ていた。諸見小学校で担任だった有銘政夫さん、コザ中学校で教えてもらった崎原盛秀さんたちだ。この出会いがなければ今の自分はないかもしれない」

沖縄の理不尽を見つめ、歌で展望を描いてきた佐渡山は「95年に始まった基地への抵抗は後退していないか、差別への抵抗は風化していないか」と危惧する。

1970年12月20日未明に起きた「コザ騒動」

歌い始めて50年余。2020年10月、アルバム「やっとみつけたよ」を発表した。

7

豊川あさみ氏　　　前川英之氏

広大な米軍基地を抱え、独自の歩みを続けてきたコザ。県内各地からさまざまな人が集まり、街が形成された。「チャンプルー」と例えられる独自の文化も生まれた。

金武町を拠点に地域資源を生かした街づくりに取り組むインターリンク沖縄の社長、豊川あさみ（69）はコザ高校の25期。金武で生まれ育ち、中学3年の時にコザに移った。「黒人街、白人街の最後を垣間見た世代だ」と振り返る。

友人には「進学のため引っ越す」と話していたが、別の事情があった。家業の金武酒造を経営していた父の奥間慶幸の急逝で家が慌ただしくなり、母輝子が娘の転居を決めたのだった。

「感受性の強い時期を迎えた私をここで育ててはいけないと母は考えたようです」

越来中学校に1年通い、67年にコザ高へ入学した。「料理好きで、竹を割ったような性格は父譲り」という豊川はコザの空気に溶け込む。「勉強ができる子、やんちゃな子の双方と友達になれる素地を持っていた」と自己分析する。

クラスではまとめ役を買って出た。学校行事の余興では当時はやっていた民謡「ちんぬくじゅーしー」に合わせて踊りを創作し、評判となった。「おてんばだったんで、男子生徒も動かせたんです」

合唱部でも活動した。顧問は沖縄の合唱指導で功績を残した嶺井政三であった。音楽が得意ではなかったという豊川だが、嶺井にはあこがれた。

「嶺井先生はカラヤン指揮の交響曲に合わせて、楽しそうに音楽教室のモップがけをするんです。『先生、掃除が好きなんですか』と聞いたら『きれいな所で音楽をやったほうがいいでしょう』と答えてくれた」

卒業後、東京へ。幼稚園の教諭を務めた後、金武酒造の企画担当を経て専務となる。町内の鍾乳洞を活用し、

泡盛を熟成させる試みで注目された。97年にインターリンク沖縄を設立。特産の田芋を生かした創作料理が人気となる。「父ならどうするかを考え、行動してきた。私はやると決めたらぶれない」と豊川は語る。

コザ高校の仲間は今でも応援団だという。「家庭的な校風は居心地が良かった。先輩たちや同級生に感謝している。私が生きていく上での基軸となった」

ラジオ沖縄社長の前川英之（61）は33期。伊良部島で生まれ育ち、親の仕事の都合で中学3年の時、コザに転居した。コザ高入学は75年。「田舎から都会に来たという感じだった。コザはおしゃれな街。人もおしゃれでキャラクターが立っていた」と当時の空気を懐かしむ。

コザは音楽の街でもある。校内でも音楽は鳴り響いていた。「当時はやっていたのはレッド・ツェッペリンやディープ・パープル。学校には曲をコピーしている生徒がいた。フォークが好きな生徒もいた。学校全体が格好良かった」

自身は卓球部に所属した。コザ高は強豪校だった。「1年365日、練習に打ち込んだ。高校時代の思い出は卓球しかない」と言い切る。練習にはOBもやって来て熱心に指導してくれた。

卒業後、1浪して琉球大学法文学部に入学した。もともとは教師志望だったが、たまたま聞いたラジオのニュース番組で、実況を交えた放送の臨場感に引かれた。そのころラジオ

各種のスポーツ大会で獲得した賞状や盾＝コザ高校

沖縄の募集があり、83年に入社した。若者の人気を集めたラジオパーソナリティーで、若くして亡くなった高良茂は同い年だった。「同じ大学生でこんなに話せる高良さんを尊敬した」

入社から7年間、報道現場を歩んだ後、番組ディレクターに。「ROKヤングシャトルとんでもHAPPEN」「R−DAYSへのへのうしし」などの人気番組を手掛ける中で「リスナーと遊ぶこと」の面白さを実感した。

ネットが幅を利かす時代でも「ラジオは残る」と前川は語る。

「ラジオは人に優しいメディアだ。人を大事にできるパーソナリティーがいる限り、ラジオは続いていく。ラジオは人と人をつなぐメディアだ」

ラジオ沖縄は2020年7月、開局60年を迎えた。社是は「ローカルに徹する」。幅広い世代の身近なメディアであるラジオの可能性を前川は信じている。

8

沖縄市・中の町社交街の民謡クラブ「なんた浜」を拠点に歌う民謡歌手の饒辺愛子(78)はコザ高校の定時3期生。「肝がなさ節」などのヒット曲で県民に親しまれている。

饒辺愛子氏　　　仲宗根創氏

1942年、大阪府で生まれ、小学校入学前にコザに引き揚げてきた。諸見小学校、コザ中学校を経て58年、コザ高校に入学する。経済的な理由で定時制を選んだ。

「学校で紹介されたお手伝いの仕事をしたり、ゴルフ場のキャディーをしたりしながら学校に通った。昼働いて夕方6時から夜10時まで授業。にーぶいしながら勉強した」

同級生といっても年齢はばらばらで、家庭がある級友もいた。授業についていくのに必死で「もうやめてしまおうと思ったこともある」という。そんな時、同級生や教師が支えてくれた。

「1人も脱落しないようにクラスメートで助け合い、手取り足取り勉強を教えてくれた。先生も全員必ず卒業させようと一生懸命だった」と饒辺は語る。

夕食は学校で食べた。トウモロコシ粉を油で揚げただけの具のない天

ぷらなど質素なもの。「一番のごちそうだった」という沖縄そばが楽しみだった。

美空ひばりが好きだという饒辺は高校卒業後、「民謡を習いたい」という友人の誘いがきっかけとなり、沖縄民謡の黄金期を築いた歌手の一人、喜納昌永の元で学ぶ。その後、ラジオやテレビの民謡番組に出演し、一躍人気歌手となった。結婚で4年ほどの活動中断を経て、69年に「なんた浜」を開店した。嘉手苅林昌、松田弘一ら多くの民謡歌手とステージに立った。

民謡歌手となって60年近く。街の移り変わりを見つめながら、沖縄の民謡界を生きてきた。そんな饒辺もコロナ禍に遭い、休業を余儀なくされている。しかし、負けてはいない。「つらくても、いつかは道は開ける。コザ高校

定時制の時もそうだった。今度も歯を食いしばって頑張る」

饒辺は「定時制に通って良かった。人の情に触れることができた」と振り返る。つらかった高校時代が今日の活動の糧となった。

若手民謡歌手の一人、仲宗根 創（32）は61期。19歳の頃から5年半、「なんた浜」で歌った。

88年生まれ。那覇などで暮らし、小学校3年の時に沖縄市へ。中の町小学校、コザ中学校を経てコザ高校へと進む。

三線を学んでいた祖父の影響で3歳の頃から民謡に親しんだ。「孫の手に輪ゴムを引っ掛けて三線みたいにして遊んだ」という仲宗根は祖父と共に金城秀之の元で稽古を重ねた。最初に覚えた歌は「海のちんぼーらー」

コザ高校の正門。英字でも校名を記している

だった。

　沖縄市では松田弘一に師事。中学
1年の時、照屋林賢が主催するオー
ディションでグランプリを取り、デ
ビューアルバム「アッチャメー小」
を発表する幸運に恵まれる。「せい
ぐゎー」の愛称で知られる登川誠仁
に弟子入りしたのはコザ高1年の時
だ。通学路の途中にあった登川の家を
訪ね、稽古をつけてもらった。

　「5歳くらいの時、登川先生の『多幸
山』を聞き、衝撃を受けた。中学3年の
時に先生の門をたたいたが、すぐには
弟子にはなれず、1年間通い続けた。
先生は僕を試したのだと思う」

　登川の元で稽古に励んだが、高校
で歌三線を披露することはなかった。
郷土芸能クラブにも入っていない。
「三線で目立つのは照れくさい。ラッ
プやヒップホップをやっていた」と仲
宗根。同級生と一緒に、人気のテレビ
ドラマに登場するダンスを楽しむ高
校生だった。

　卒業後、仲宗根は日本蕎麦店での
アルバイトや米軍基地内の美容室に
タオルを配送する仕事をしながら歌
い続け、民謡歌手としてのキャリアを
積んできた。

　2015年11月、コザ高校創立70年

記念式典の舞台に立った。「高校生の
頃、自分を生かすことができなかっ
た。きょう歌えて光栄です」と自分の
思いを伝え、3曲ほど歌った。

　現在、ラジオ番組を担当するなど
活動の幅を広げている。「稽古を重
ね、歌を磨きながら、沖縄の歴史や生
活のことも学びたい。生活の中から
歌は生まれた。歌を歌いながら、沖縄
のことを伝える歌手になりたい」と
仲宗根は語る。

9

宮里好一氏　　　　安村光滋氏

　1972年の施政権返還を前にした
沖縄の激動期、各地の高校も揺れた。
医療法人タピックの理事長でコザ高
校27期の宮里好一(67)は激動のた
だ中、高校生活を送った。

　宮里は「混乱期にいろんな不安が
あった。外の変化があまりに激しく、
皆がもがいてもがいて、自分の道を選
んだ。僕もその一人だった」と在学時
を振り返る。

54年、当時の美里村比屋根で生まれた。きょうだいが多く、暮らしは苦しかった。「生活のため、小学校2年の頃から高校3年までずっと新聞配達をしていた。バイト代は1カ月で2、3ドルはあったかな」

69年、コザ高に入学した。校内は「政治の季節」真っただ中だった。

「復帰前の、密度の濃い時代だった。佐藤・ニクソン会談があり、国政参加選挙があった。コザ騒動を伝えるラジオ放送から緊迫した空気を感じた。学校でも2週間に1度、討論集会が開かれた」

当時の自身を「孤独で、孤立するタイプだった」と語る。青年期をどう生きるべきか、沖縄とは何なのかという難題と向き合い、思い悩んだ。アイデンティティーが揺らいでいた。復帰への疑念から教師に議論を挑むこともあった。

「若い先生に『何で日本に復帰するのか』と聞いた。日本に帰ることは本当に正しいのか分からなかった。先生は『困った質問だ。復帰は否定しないが、突き詰めて考えると君の言うことも分かる』と答えてくれた。今考えれば、正直な先生だった」

文学を志したこともある。大江健三郎の『沖縄ノート』や岡本太郎の『沖縄文化論』に衝撃を受けた。そんな頃、友人の一人が心を病んだことがきっかけで精神医学に興味を持ちフロイトやユングを読み始めた。卒業後、宮里は岡山大学医学部に進んだ。

現在、「健康と生きがいづくり」を目指し、観光やスポーツと連携した医療活動を展開する宮里。「沖縄の端境期に10代を送り、コザ高校を舞台に生きることができた。そのことをありがたく思っている」と語る。2020年からコザ高校の同窓会長を務めている。

84年12月28日、花園ラグビー場。第64回全国高校ラグビー大会で、コザ高校が県勢初勝利を飾った。この試合で2度のトライを挙げたのが40期の安村光滋（54）である。現在、沖縄県ラグビーフットボール協会の理事長を務めている。

66年、コザ市越来で生まれた。幼い頃は家を出ると遅くまで帰らず、親から「鉄砲玉」と呼ばれた。小、中学生の頃は野球少年だったが、1人で悩みを抱えていた。

「体が小さくて劣等感が強かった。何をやっても不完全燃焼。野球しかり、友人関係しかり。中学の3年間も苦しかった。活発だけど内省的で、自

分の人生はこのままでいいのか悩んでいた」

コザ高入学を機に新しい環境に飛び込もうと思った。「ラグビーをやったのも劣等感を拭うためだった。中学校の野球部のメンバーには『体が小さいから無理だよ、吹っ飛ばされるよ』と言われ、逆に心に火が付いた」と振り返る。

実際にタックルを受けて吹っ飛ばされたが、今までにない充実感を味わった。安座間良勝監督の情熱的な指導にも導かれ、ラグビーのとりこになった。練習は厳しかったが、チームは家族のような雰囲気だった。

安村は自分に課題を課した。スピードを磨くため自宅前で毎朝、ダッシュを繰り返した。午後も一番最後までグラウンドに残って練習に励んだ。その成果が84年の勝利へとつながった。「花園での一勝はものすごい達成感があった」

筑波大学を経て、安村は高校の教師となる。母校のコザ高校や石川高校でラグビーを指導し、2006年に17年間の教師生活を終えた。別の形でラグビーに貢献したいと考えたからだ。「喜びよりも悔し涙を流させることが多く、生徒に申し訳ないという思いが年々強くなった」と振り返る。

劣等感を克服するため、毎朝ダッシュした日々を忘れない。「自分を信じ、こつこつやり続けることが大事だ。朝、ダッシュすることは大したことではないけれど、誰でもできることをやり続けることが大切だ」と安村は語る。

全国高校ラグビー大会に出場するコザ高チームの壮行会＝1984年12月26日、那覇空港

10

藤木勇人氏　　　尾比久知奈氏

「うちなー噺家」の藤木勇人(60)はコザ高校の36期である。沖縄の芸能と音楽に新風を吹き込んだ笑築過激団、りんけんバンドで活動した。現在、「志ぃさー」の名で、話芸を通じて沖縄を表現している。

61年、コザ市生まれ。「小学校7年、高校4年通った」と語る。

中の町小学校に通っている頃、交通事故に遭い、1年間療養した。熊本県の私立中学校を経て高校に進学したものの健康上の理由で1年の夏休みに帰郷し、翌春コザ高校に入学した。81年の卒業時には20歳になっていた。

「学校の雰囲気は良かったし、青春を謳歌した」と在学時を振り返るが、同級生より2歳年上だったことが高校生活に微妙な影響を与えた。「自分は年をとっていると勝手に思っていた。大学で遊ぶという考えは嫌い。手

に職を─という感覚だった」と語る。

卒業後、親の仕事を手伝っていた頃、笑築過激団と出合う。「芝居は小さな頃から好きだった」という藤木は、中学校の先輩に当たる座長の玉城満から役をもらい舞台に上がる。りんけんバンドにも加わり、芸能活動がスタートした。

「当時はアマチュア集団。飯が食えるとは思わなかった。親も安定した職を要望していた」。先輩の勧めで藤木は郵便局で働いた。その後、笑築過激団は注目を集め、りんけんバンドも人気を呼んだ。

90年代初頭の沖縄ブームの中、藤木は多忙を極めた。「5年間で体はぼろぼろ。いま辞めないと辞められなくなるという気持ちだった」。30歳手前で郵便局を退職。後に笑築過激団、りんけんバンドを離れた。2001年のNHK連続ドラマ「ちゅらさん」への出演でその名は全国に知られるようになった。

藤木は現在、東京と沖縄を行き来しながら一芸人として活動している。コロナ禍の中で2021年2月、独演会をウェブ配信した。

卒業から40年。「末の娘がコザ高校にいるんです。勉強も遊びも一生懸

コザ高校　43

命。『楽しいコザ高校』は変わっていない。僕らも楽しかったし、娘も楽しんでいますよ」

ディズニー映画「モアナと伝説の海」日本語版で主人公モアナの声を担当した屋比久知奈(26)は68期。ミュージカル「タイタニック」「レ・ミゼラブル」に出演し、着実に活動の幅を広げてきた。

そんな中、コロナ禍に直面した。「公演が中止になったり、表現の場が少なくなったりした。正直、舞台に立てなくなるということは想像できなかった。それでも表現することを大切にしたい」

思いもしなかった事態に戸惑いながらも活動の場を守ってきた。2020年6月と8月、「ミス・サイゴン」をウェブでライブ配信した。

「舞台を届ける場が広がった。沖縄の家族や友人にも舞台を届けることができる。それは私の中でうれしい舞台の在り方だ」

幼少時からバレエを学び、舞台にあこがれを抱いてきた。新体操にも取り組んだ。

コザ高校の特進クラスに進み、同級生と勉学に励んだ。個性的なクラスメートとの出会いは財産となった。

「お互いを認め合い、刺激し合った。高校の3年間で今の自分が出来上がった。自分のことを見つけ、確立していく時期だった」

高校2年から3年にかけて米国への留学を経験した。琉球大学に進み、ミュージカルにも挑むようになる。2017年に「モアナと伝説の海」の大役に抜擢された。上京し、エンターテインメントの世界で実績を積んできた。

高校時代を振り返り「努力することはかっこいい」と語る。

「高校は義務教育ではない。部活も勉強も自分の意思で決めなければならない。努力すること、頑張ることを楽しむのが大事。努力すれば何かを得ることができるはずだ」

2021年、ミュージカル「屋根の上のバイオリン弾き」に出演した。初日の2月6日、ツイッターで「皆さまの拍手が強く、温かく、胸に響きました。この日を無事に迎え、終えられたことに心から感謝です」と記した。

コロナ禍の中で、屋比久は新たな一歩を踏み出した。

1

新垣雄久氏

瑞慶覧長方氏

知念高校は1945年11月16日、現在の南城市知念字志喜屋で創設される。その後、同市玉城百名や玉城親慶原に移る。与那原町与那原の現在地に移ったのは52年2月のことである。

親慶原一帯は一時、米軍政府や沖縄民政府が置かれ、戦後沖縄の行政の中心地となった。知念高校にもさまざまな地域から生徒が集まり、県内各界で活躍する人材を輩出した。

知念高校は米統治下で日本復帰運動を牽引し、初の公選主席・県知事となった屋良朝苗が47年4月から50年11月まで校長を務めたことでも知られる。

屋良の情熱的な指導と誠実な学校運営は卒業生の間で語り継がれてきた。知念高校4期で、元沖縄県副知事の新垣雄久（91）は屋良の薫陶を受け

た一人。第2代と4代の知念高校同窓会長を務めた。

「大学がなく、希望もなかった時代、私たちは屋良先生の情熱的な指導に支えられた」と新垣は回想する。

新垣は1930年、本部町に生まれた。今帰仁村の兼次尋常小学校や与那原国民学校で学び、43年には県立第二中学校に入学。翌年9月、愛知県に疎開した。沖縄戦で両親を失った。

敗戦後の46年夏、沖縄に引き揚げ、玉城村親慶原にあった知念高校の2年に編入した。そこで校長の屋良朝苗に出会う。屋良は生徒に熱っぽく復帰を説いた。

「朝礼の時など『日本人たれ。今は占領下にあるが必ず復帰はある。沖縄を担うのは君たちだ。日本人として誇りを持て』と指導してくれた」

学校運営に精魂を傾けた屋良の姿を新垣は心に刻む。

「知念高校は水事情が悪く、校外の井戸から水を運ばなければならなかった。ところが学校の貯水タンクはいつも水がいっぱい。不思議に思って夜に待ち構えていると、屋良先生が家族と水をくんでいた」

新垣はバレーボールや弁論に打ち込んだ。自治会活動にも参加し、他の高校と連携して大学設立促進運動と募金活動に携わった。

卒業後、小学校の補助教員を経て法政大学に進み、帰郷後に琉球政府に入る。屋良の主席公選出馬には反対だった。「僕は『政治家にはなってほしくない。先生は教師です。政治は向きません』と伝えたら、先生は『分かった』と答えた」

屋良は当選。新垣は行政主席・知事の下で東京事務所渉外官、総務部地方課長を務めた。

元県議で社大党委員長を務めた5期の瑞慶覧長方（88）も屋良から学んだ。主席公選で屋良の陣営を手伝った。「沖縄で民主政治をやれるのは屋良先生しかいないと考え、昼も夜も応援した」

32年、大里村（現南城市）で生まれた。徹底した皇民化教育を受けた瑞慶覧は沖縄戦で摩文仁や米須をさまよう。住民に投降を呼び掛ける住民を日本兵が惨殺するのを目撃した。敗戦後、玉城村百名に身を寄せていた瑞慶覧は、百名初等学校の教師に知念高校を受験するよう促された。

「学校に入って何になるかと思っていた。先生は『人生は学問が第一。日本の教育は間違っていた。アメリカの民主教育を受けなさい』と諭してくれた」

46年に入学した瑞慶覧は「屋良先

創立60年を記念し、学校跡地に建てられた記念碑＝南城市玉城親慶原

生の教育を受け、皇民化教育によるマインドコントロールから覚めた。身を持って生徒を指導してくれた」と語る。

化学を教えた屋良は米軍の廃品から教材を集め、実験した。49年のグロリア台風で校舎が壊滅状態になった時、屋良は先頭に立って復旧に奔走した。「屋良先生が校舎を設計した。のこぎりやかんなの刃を研ぐのも屋良先生」

卒業後、琉球大学に進んだ瑞慶覧は教師として知念高校の教壇に立った。「学校で教えることを通して学ぶことができた。それは屋良先生の姿勢でもあった」

屋良の教えを胸に教師となった瑞

知念高校沿革
1945年11月　南城市知念志喜屋に創立
・12月　同市玉城百名に移転
・46年4月　同市玉城親慶原に移転
・49年7月　グロリア台風で校舎が壊滅状態に
・52年2月　与那原町の現在地に移転
・72年5月　県立知念高校となる
・87年10月　海邦国体なぎなた競技で総合優勝

慶覧は72年6月の県議選に当選し、与党県議として屋良県政を支えた。

2

元県議会議長で衆院議員を1期務めた仲里利信（84）は知念高校の10期である。入学は52年4月。その1カ

玉城村親慶原にあった知念高校の校舎（「知念高校創立50周年記念誌」より）

仲里利信氏

大城将保氏

月半前、知念高校は玉城村親慶原から与那原町の現在地に移転した。

「僕らの合格を発表した途端に『鍬もってこい、シャベルもってこい』ですよ。まだ入学前。校舎造りもやった」と仲里は語る。生徒も一緒に新しい学校を築いていった。

1936年、南風原で生まれた。沖縄戦で通信隊に動員された父や祖父を失った。宜野座村に避難した仲里ら家族9人は山中で日本兵の恐怖を目の当たりにする。

「壕に避難していたら3歳の妹といとこが泣き出した。すると日本兵が来て『泣いていると敵に見つかる。これを食べさせろ』と言って毒の入ったおむすびを渡された。母は『死ぬ時は皆一緒』と言い、家族で壕を出た」

その後、山中をさまよい金武に下りる。食べるものはなく、1歳の弟を栄養失調で亡くした。

働き手を失った家族の生活は苦しかった。高校進学を母に反対された仲里は策を練った。「弟と一緒にサトウキビ畑に入ってストライキをしたんだよ」

息子の熱意にほだされた母は、徒歩で登下校することや畑を手伝うことを条件に進学を認めた。その条件を仲里は守った。

「僕ははだしで登校した。学校の前で足を洗って下駄を履いた。学校を出る時は下駄をかばんに入れ、はだしで畑へ向かった」。下駄の歯を少しでも長持ちさせたかったからだ。

高校卒業後、琉球大学を経て実業家となる。92年、県議に。議長だった2007年、高校歴史教科書の「集団自決」（強制集団死）の記述をゆがめる教科書検定問題で、沖縄中が揺れた。仲里は自身の戦争体験を語り、検定意見撤回を求める意見書を全会一致による可決に導いた。

2017年に政界を引退し、現在は健康のために畑作業に励んでいる。

「レタスやホウレンソウを作って社協に配っている。雨で畑に行けなくなると体調が悪い。野菜が僕を呼んでいるんだ」

日焼けした仲里の顔から笑みがこぼれた。

沖縄戦研究家で小説家の大城将保

作詞・山田有功　作曲・田場盛徳

うるま島山（しまやま）　あけしとき　聖地知念（せいちちねん）に　光（ひか）りあり
この産土（うぶすな）の　幸（さち）うけて　まことゆかりの　学園（がくえん）に
青春（せいしゅん）の花（はな）　育（はぐく）めば　万朶（ばんだ）の香（かお）り　高（たか）きかな

QRコードから校歌が聞けます

(81) は14期。07年の教科書検定問題の時、「集団自決」における日本軍の責任を追及し、論陣を張った。

1939年、玉城村 (現南城市) 百名の生まれ。戦争中、熊本県に疎開した。帰郷し、百名初等学校に入学する。敗戦直後の百名には6千人余の避難民が集まっていた。「那覇、首里の避難民でいっぱいの大都会だった。戦後沖縄の出発点となった」

那覇に転居し、55年に那覇高校へ進学する。当時、県内の高校では文芸活動が盛んで、各校が競って文芸誌を発刊した。大城も文芸クラブに所属し、文芸誌に作品を投稿する文学少年だった。

「米統治下で高校生が抱えていた鬱憤（うっぷん）を表現できるのが文芸だった。詩や短歌、小説の形で鬱憤を晴らすことができる唯一の場所が文芸誌だった」

当時、高校の文学少年に影響を及ぼしたのが、琉球大学文芸クラブの

1957年ごろの知念高校の校舎全景 (「知念高校創立50周年記念誌」より)

「琉大文学」だった。「沖縄の人権が無視された時代、米軍の重圧に反旗を翻した『琉大文学』に私たちは救いを求めた」と大城は語る。後に「琉大文学」同人らが退学処分となる「第2次琉大事件」に衝撃を受けた。

高校2年の時、周囲の生徒の間で進学熱が高まる中で息苦しさを感じた大城は1年休学した後、知念高校に転校する。「自分のふるさとに帰り、心が休まった」。そこでも文芸クラブに所属し、文芸誌「あだん」に作品を載せた。

卒業後、大城は早稲田大学に進む。故郷から遠く離れた地で沖縄を見つめ直すようになる。在京の沖縄出身学生と共に沖縄返還運動にも飛び込んだ。

73年帰郷。沖縄史料編集所に入り、「沖縄県史」の沖縄戦記録の編集に携わった。以来、沖縄戦研究がライフワークとなる。同時に「嶋津与志」の筆名で小説、戯曲を発表してきた。

住民犠牲を強いた日本軍の責任を問い続ける。「スパイ視など敗戦の責任を県民になすり付けることは許されない」と大城。2020年、「『沖縄人スパイ説』を砕く 私の沖縄戦研究ノートから」を出版した。

3

喜舎場泉氏　　　津波信一氏

沖縄の演劇に新風を巻き起こした「笑築過激団」の団員に知念高校出身者がいた。今もテレビや舞台で活躍する2人である。

喜舎場泉(52)は43期。短大生の頃、学祭の劇をきっかけにテレビやラジオで活動してきた。琉球朝日放送の番組「十時茶まで待てない!」でお茶の間の人気者である。

与那原町の生まれ。与那原小学校や与那原東小、与那原中学校で学んだ。

「放送部に入り、学校行事で頑張った。幼い頃から人前に出るのが好き。踊ったり、お笑い劇をやったりした。この仕事を始める時『やっぱりね』と言われた」

中学卒業後、那覇市内の病院で看護師の助手として働いた。週に1回、院内勉強会で学ぶことの大切さに気付いた。「勉強しなければ」と奮起し、1年遅れで知念高校に入学した。

高校でも進んで学校行事に参加した。「もう時効だからはっぷがしますけど、那覇のディスコに通った」。その頃、衝撃を受けたのが沖縄のお笑いコンビ「ニーニーズ」だった。「沖縄の日常生活をネタにうちなーぐちでしゃべっていた。腹を抱えて笑った。ニーニーズの2人にあこがれた」と語る。

キリスト教短期大学に進学し、城間やよいと出会う。学園祭で一緒に劇を作った。「私が物語を作り、やよいが演出し、皆で劇をやった。他の大学からも人が集まるほど評判となった。これがテレビ出演につながった」

在学中からメディアに登場し、卒業後に笑築過激団に加入した。復帰20年の節目、沖縄が注目された時代だった。

98年の映画「BEAT」に出演。監督で演出家の宮本亜門は芸人が生まれる知念高校に興味を持ち、喜舎場に訪ねた。「泉や信ちゃん (津波信一) がいる知念高校って堀越学園みたいな学校なの」

芸歴は今年 (2021年) で32年を迎える。2018年、北島角子が演じた「島口説」に城間と2人で出演した。これからも新しいことに挑戦したいと喜舎場は語る。

「私は、体は大きいけどシカボー (恐がり) なんです。いつも同じ道しか歩けない。だけど冒険をしてみたい。ちょっと道を曲がってみようかな」

津波信一 (49) は45期。テレビやラジオ、舞台などで活躍の場を広げてきた。「男女共に元気で、学校は活発だった。知念高校の3年間で、僕の人生は変わったと思う」と在学時を振り返る。

2013年に開催された笑築過激団30周年記念ライブ

71年、佐敷村（現南城市佐敷）新里の生まれ。佐敷小、佐敷中を経て87年に知念高に入学する。演劇が好きで、文化祭ではクラスの仲間と芝居をつくった。那覇市牧志の小劇場沖縄ジャン・ジャンであった笑築過激団の公演に通ったのも高校時代であった。

「笑築を見るため、放課後、バスに乗って那覇に行った。こんなに面白いものがあるのかと思った」と津波は語る。沖縄が嫌で本土に出たいと思っていた津波にとって、沖縄をネタに会場を沸かせる笑築の登場は「衝撃だった」という。

卒業を前にした90年2月、津波は推薦入試で合格していた大学への入学を断念した。家庭の経済事情が許さなかった。「先生に報告したら『なぜ相談してくれなかったんだ。奨学金もあったのに』と叱られた。泣いたよ」

その頃、あるインタビューがきっかけとなり、NHKの短編ドラマに出演した。放映は卒業式直後の3月5日から5日間。津波は教室の黒板に「見てね」と書き残し、知念高を卒業した。この年、津波は笑築過激団に入団した。

琉球放送のテレビ番組「お笑いポーポー」が評判を呼び、笑築の人気は一気に高まった。「どんどん沖縄の人が自信を付け、自分たちのことを面白いと感じ、笑えるようになった」と津波は振り返る。

笑築で5年間活動し、その後は佐敷に拠点を置き、青年会長など地域活動に携わる。2006年には劇団「TEAM　SPOT　JUMBLE」（チームスポットジャンブル）を旗揚げした。NHK沖縄放送局の情報番組「きんくる」への出演は2021年で14年目を数える。

「僕はチームが好き。チームの中で一度でも二度でも、個人としてもチームとしても闘う」と津波。2021年3月、演劇の仲間たちと共に喜劇「人類館」をウェブ配信で上演した。

4

眞境名正憲氏　　　宮城能鳳氏

沖縄の至芸・組踊の第一人者である眞境名正憲、宮城能鳳は1950年代半ばに知念高校で学んだ。在籍中は2人とも組踊や琉球舞踊とは縁のな

いクラブで活動し、卒業後に琉球古典舞踊、組踊の世界に進んだ。

眞境名正憲（83）は11期。伝統組踊保存会の会長として組踊の保全継承の取り組みを牽引してきた。

1937年、佐敷村津波古の生まれ。53年、親慶原から移転して間もない知念高校に入学した。「勉学熱は強かった。生徒会が生まれ、知名洋二さん（元県経営者協会長）が生徒会長に立候補したのを覚えている」と語る。

小、中校生の頃から絵画が得意だった眞境名は美術クラブに入った。「絵ばかり描いていた。展示会を開いたり、新聞社のコンクールに出品したりした。賞を取ったこともある」

美術クラブでの活動が意外な巡り合わせで組踊へとつながる。

眞境名は卒業後、琉球大の美術工芸科へ進む。入ったサークルは演劇クラブ。「舞台美術を勉強できる」というのが理由だった。

1年の時は役者もやり、学外での公演にも出演した。ところが客は入らない。「やっぱり『うちなーむん』でなければだめだ。琉球舞踊をやろう」と考え、舞踊家の阿波連本啓の元を訪ねる。

「お金がないので、ただで教えてく

ださいとお願いした。今考えれば厚かましいが、先生は献身的に教えてくれた。1年間通って歌三線、舞踊を学び、すっかりはまってしまった」

眞境名はその後、郷土芸能研究クラブに活動の場を移す。幼少時、祖父に連れられ、地域の村遊びに通ったことがあり芸能に親しんできた。琉球古典芸能の道にすんなりと入っていった。

卒業後、大越（後の沖縄三越）へ入社。一時、琉球舞踊から離れていたが、68年に眞境名由康に師事した。86年に重要無形文化財「組踊」保持者に認定され、国立劇場おきなわの建設運動にも関わった。

眞境名の手元に先祖の家系図が残っている。「学生のころから首里の流れを組むユカッチュ（士族）だという意識はあった」と語る。沖縄の伝統芸を守る誇りとともにその責務を担っている。

宮城能鳳（82）は知念高校の13期。2006年に重要無形文化財「組踊立方」保持者（各個認定）＝人間国宝＝に認定された。

38年、佐敷村（現南城市佐敷）小谷に生まれた。幼少時、古典舞踊のたしなみがある父の徳村磯輝から手ほど

きを受けた。中学の頃、父の友人でもある玉城源造から古典舞踊と組踊を学んだ。「琉球舞踊は好きだった。『花風』は素晴らしい。あのように踊ってみたいと思った」

琉球舞踊に魅力を感じながらも、知念高校では音楽クラブに入った。音大への進学を夢見ていた。「クラシック音楽のファンだった。専門的に勉強したいと思い、先生から声楽とピアノを学んでいた」

ピアノの教本を3冊弾きこなすまでになったが、高校2年の時、家計を支えていた母が他界した。進学をあきらめ琉球政府で働く。

琉球舞踊から離れ、仕事に打ち込んでいたが、那覇市内で宮城能造の舞台を鑑賞したことが転機となった。「身震いがするほど感動した。琉舞の道で本格的にやってみよう」

田舎出の自分が受け入れられるかと気後れしながらも宮城能造に弟子入りを願い出る。「僕は体重が46キロしかないひょろひょろの青年だった。芸能界の荒波を生きてゆけるか先生は心配しながらも、芯はあると感じたようだ」と振り返る。

宮城は62年、琉球政府を辞め、琉球舞踊で生きることを決意する。周りの目は厳しかった。「周囲から『うどぅやーぐゎー』と呼ばれ、『仕事を投げ捨てるのか』とも言われたが、それ以上に琉球舞踊、組踊は好きだった。それほど踊いぶらー、組踊ぶらーだったん

1950年代の下校風景（知念高校卒業アルバムより）

でしょうね」

　自身の性格を「気丈夫で、これと決めたら他には目もくれず集中する」と語る。ひ弱に見えた青年はひたすら芸に打ち込む。70年、宮城能鳳の名取を許され、西原に宮城能造舞踊研究所の支部を設ける。90年、沖縄県立芸大の教授に就任した。

　「若いうちは、『ぶらー』が付くほど勉強しなければならない。卒業生が育っている。苦労したかいがあった」と話す。組踊への一途な思いは若い実演家へと確かに引き継がれている。

5

照屋義実氏　　　金城克也氏

　県商工会連合会会長や県建設業協会会長を歴任した照屋義実（73）は知念高校の21期。2001年1月から1年間、県教育委員長の任にあった。しまくとぅばの普及継承を図る「しまくとぅば連絡協議会」会長を務めたこともあり、多彩な顔を持つ。元副知事の新垣雄久の後を継ぎ、5代目の知念

高校同窓会長を10年以上務めた。

　1947年、与那原町与那原の生まれ。63年に知念高校に入学した。1966年刊の同窓会誌「知友」に寄せたエッセー「クラブ活動の周辺」で高校生活におけるクラブ活動の意義を、ユーモアを込めて熱っぽく説いた。

　「青春の情熱はなにものにも代えがたい。そして、その溢（あふ）れるばかりの情熱は単にオデコのニキビとなって吹き出すのみではない。我々（われわれ）高校生の場合は、スポーツを含めたクラブ活動に熱中する事、それがもっとも正常な情熱のはけ口であるように思われる」

　この文章をつづった頃の心境を「ガリ勉ばかりのモノトーンの高校生活にはしたくないという反発があった。もっと自分の可能性を見いだす時期だ。僕はカラフルな高校生活を送った」と振り返る。

　照屋は柔道に情熱を注いだ。生徒会活動にも携わり、生徒が良質な水を飲めるよう水道の整備を校長に求めた。新聞部の活動では教育に関する質問を生徒と教師に投げ掛け特集紙面を組んだ。応援団にも参加した。「社会に出て物事を判断できるよう体験を積んだ。クリエーティブな高校生活だった」

「好きな女の子もいた」と懐かしむ。自転車で一緒に校門を出て、下校した。学友が学生服を着るなか、那覇の市場で買ったＨＢＴ（軍服）を着て通学するという行動にも出た。「目立っていたでしょうね」と照屋は笑う。

言葉通り「カラフル」な高校生活を送った照屋は66年、琉球大学へ進学したが半年ほどで退学。家業の建設業・照正組を継ぐことを意識し、翌年、福島大学経済学部に入学した。

経済人として歩んできた照屋は2015年、翁長雄志県政の県政策参与となる。そして、2021年3月、玉城デニー県政の副知事となった。照屋に新たな顔が加わった。

照屋の後継として16年に6代目の同窓会長となったのが29期で県経営者協会会長の金城克也（65）である。「部活動で仲間と一緒に過ごした3年間は忘れられない」と高校時代を回想する。

1956年、玉城村（現南城市）玉城の生まれ。沖縄の施政権返還を前にした71年に知念高校に入学した。金城が打ち込んだのはバスケットボール。「毎日、バスケットに明け暮れた。結構強いチームだった」

部員自ら練習メニューを組み立てた。「きちっとしたコーチがいるわけではない。仲間たちで独自に練習を考えた。新里坂やバックナー入り口（津

「くじら岩」の名残をとどめるくじら橋と知念高校

56

波古交差点)の坂道をダッシュした。きつかった」

夏場、練習が終わった後の楽しみがあった。グラウンドの向こうにある海で泳ぐのである。「学校そばの海に『くじら岩』(クジラービシ)という岩があり、干潮になると岩が海面から浮き上がる。そこまで泳いでいった」

下校後、与那原三差路にあったという天ぷら屋に通うのが、もう一つの楽しみ。店のおばさんとも仲良しになった。卒業前は同級生の実家にあるサトウキビ畑の収穫を手伝った。「お互いの家の畑を交互に手伝い、サトウキビを担いだ」。高校生もユイマールの担い手だった。

卒業翌年の75年、先輩の助言で東洋石油に入社。95年にりゅうせきに入社し、06年に社長となった。現在、同社の会長を務めている。

同窓会長になって今年(2021年)で5年余りになる。学校行事には母校に足を運ぶ。卒業式では毎回、同じ思いを卒業生に伝えてきた。

「自分一人の力で卒業できたのではない。家族や地域、先生や先輩、後輩の応援を忘れてはいけない。同窓生の仲間を大切にしてほしい。あいさつする時は『知念高校卒業です』と言いなさい。先輩が大切にしてくれる」

今年も第76期生となる310人が学びやを巣立った。知念高校の歴史に名を刻み、社会を歩む新たな仲間が加わった。

6

高良勉氏　　　大城和喜氏

復帰運動が大きなうねりを見せる1960年代、高校生も政治意識に目覚め、行動した。その体験は卒業後の人生にも影響する。

詩人の高良勉(71)は23期。活発な創作、評論活動を続けてきた。84年、詩集『岬』で第7回山之口貘賞を受賞した。

49年、玉城村(現南城市玉城)新原の生まれ。小学生の頃、校内のお話大会で優勝を重ねる利発な子だった。中学生の弁論大会では「祖国復帰」を訴える。「僕は素朴な民族少年だった」

65年に知念高校に入学。屋良朝苗校長時代の伝統を受け継ぐ化学クラブで活動した。同時期に詩作を始め

た。きっかけは山之口貘の作品だった。

「貘の『弾を浴びた島』に『ウチナーグチマディン　ムル　イクサニサッタルバスイ』とある。生意気にも、ウチナーグチが使えるなら、僕にも詩が書けると思った」

知念高の文芸誌「あだん」に自作の詩を投稿したところ掲載された。自分の作品が活字になった初めての経験だった。67年刊の「あだん」20号に高良の作品が載っている。

「ぐそう花の咲く路／赤い路／ぼくはそこで／丸い小石をみつけた。／これはいつか／幼な友達と／四名そろって／イシナーグをした石。」（古里の石）

復帰運動の現場も体験した。65年8月、来沖した佐藤栄作首相に「祖国復帰」を要求する県民大会に参加し、首相の宿舎となった那覇の東急ホテルまでデモ行進した。

その頃、知念高で教師をしていた沖縄芸能研究者の當間一郎と出会い、組踊の魅力に触れる。

「組踊の唱え『出様ちゃる者や』を巡って碩学（せきがく）の比嘉春潮さんと論争する姿に感激した」

しかし、組踊が生活の糧になるとは思えず、深く探求することはなかった。「国立劇場ができる時代が来るとは予想しなかった。今になって、少し後悔している」と高良は語る。

卒業前、学友と共にB52配備や基地の重圧にあらがう高校生を描いた劇「目ざめる」を作り、講堂で演じた。

知念高校文芸クラブの文芸誌「あだん」（知念高校図書館所蔵）

「劇を見ていた校長先生が渋い顔をして講堂を出て行った」

高良は静岡大学へ進み、「文学と闘争の8年間」を送った。帰郷後、高校教師をしながら創作活動を続けた。2020年、詩集「群島から」を発刊。「いま、復帰前後の自分史的なエッセーを書いている」と語る。

高良と共に「目ざめる」の上演に関わったのが、南風原文化センターの元館長で地域文化の掘り起こしに力を注いできた大城和喜(71)である。「自分たちも復帰運動の一翼を担っているという気持ちだった」と懐かしむ。

南風原村喜屋武の生まれ。「4月28日には朝早く起きて日の丸を掲げる『復帰少年』だった」という少年期を送った。65年に入学した知念高も復帰運動の熱気に包まれていた。指導的な役割を果たしていた教師の姿が記憶に残る。

「復帰運動が盛り上がっている時期。まだ夢があった。先生方も元気いっぱい。われわれは先生に相当引っ張られた」

生徒会の活動に参加した大城は教師と共に集会やデモに足を運んだ。国頭村辺戸岬のかがり火大会にも出た。

教公2法阻止闘争が最高潮となった67年2月、立法院を群衆が包囲する様を間近で見た。

「佐藤首相訪米阻止闘争(67年11月3日)にも高校生の代表として参加し、那覇の国際通りでジグザグデモをした。「高校生が沖縄の嵐の真っただ中にいた」

68年、琉球大学に入学する。復帰の夢は形を変え、県民の願望とは異なる現実が見えてきた。セクトが前面に出た闘いに大城は戸惑う。

「大学では自分の立ち位置を定めることができなかった。デモに行っても、どの隊列に付けばいいのか分からなかった」

虚脱感を抱いたまま73年に琉大を卒業し、約2年間、働きながら東北地方をさまよった。阿嘉島と粟国島でも働いた後、南風原に戻り、開館したての町中央公民館に勤める。

その時の心情を著書『父の約束』で「ムラにあっては伝統行事や／ムラの哲学を先輩からか受け継ぎ／ムラを生きムラを愛し」と記している。

マブイ(魂)探しの旅を経て、大城は確かな足場を故郷に築いた。

7

当山尚幸氏　　瀬長睦子氏

県選挙管理委員会の委員長で、沖縄弁護士会会長や県収用委員会会長などを務めた弁護士の当山尚幸（73）は知念高校の21期。「1年から3年、それぞれの学年で大変なことがあった」と語る。

玉城村（現南城市玉城）屋嘉部に生まれ、玉城中学校では陸上競技に励んだ。63年にあこがれだった知念高に入学し、陸上部に入る。ところが予想外の出来事に遭う。

「4月初旬から5月中旬まで空前のバスストが続いた。バス通学をしていた玉城の生徒はヒッチハイクで登校するしかない。帰りは徒歩。成績はがた落ちした」

干ばつにも苦しめられた。井戸が枯れ、飲み水にも事欠いた。「てんびん棒にバケツを提げ、1キロ離れた山中の水源地に通った。生きるだけで大変だった」と当時の苦労を振り返る。お

かげですっかり痩せこけてしまったという。

64年の東京オリンピックで得がたい経験をした。陸上部が聖火ランナーを務めたのである。9月8日、日の丸と五輪をあしらったランニングシャツを着た当山は、トーチを持った3年生と共に、与那原小学校前から中城村まで走った。

「米統治下で一足早く日本人になったという意識を持って走ることができた。沿道の人々も日の丸の小旗を持って応援した。感動しましたよ」

部活動と学業の両立を考え、当山は2年の3学期から学寮に入る。通学時間を勉強に充てるためだ。食事は質素で、週1回のカレーライスが楽しみ。その頃、弁護士が登場するドラマに感銘を受ける。

「学校の近くにある食堂のテレビで見た『判決』という人情味のある社会派ドラマに心が洗われる思いがした。弁護士という仕事は素晴らしい。大学の法学に行こうという気になった」

高校3年の夏、大分で開催された高校総体に走り幅跳びで出場し、6位入賞を果たした。「本土に対する劣等感があったが、対等に戦えることが分かった。賞状は家宝にしている」

当山は「団塊の世代」に当たる。同級生は約500人。「舟木一夫の『高校三年生』を歌って卒業した。濃密な3年間でした」

向陽高校の教諭で、なぎなたの指導者として活躍する瀬長睦子(51)は43期。在学中の86、87年、全国高校なぎなた選手権で知念高が団体の部で2連覇。87年の海邦国体でなぎなた少年女子に出場し、総合優勝を果たした。

生まれは西原町。高校教諭の母・真栄城紀子がなぎなた連盟副会長だった恩師に促されて、なぎなたの指導者となったのを機に、小学校5年生だった瀬長もなぎなたを始めた。母もそれまで未経験だった。

「何も分からないところからのスタートだった。なぎなたの本を手にした父の『右、左』という合図で、母と一緒に練習した」

中学生の時、海邦国体の強化選手となり、母が勤めていた知念高校へ進んだ。「学校全体が部活で盛り上がっていた。部活をするのが当たり前という感じだった」と当時の校風を振り返る。

国体に向けて練習に励む中で瀬長は重圧を感じていたという。「このまま永遠に練習が続くのかな」と思うこともあった。

「国体で県挙げて盛り上がっており、『優勝しなければならない』という空気だった。インタビューを受けて『優勝します』と答えるものの不安があった。県内のいろんなところで高校生がそれぞれの思いを抱え、戦ってい

与那原町を走る東京オリンピック聖火リレー＝1964年9月8日

たと思う。今振り返れば、先生方が私たちを守ってくれた」

国体で総合優勝を果たし、達成感と同時に「ほっとした」。卒業後、国際武道大学に進み、帰郷後は母と同じ高校教諭となぎなた指導者の道を歩む。知念高校にも2020年3月まで9年間勤めた。

最近、同級生とLINEでつながったことで高校時代のことを思い出すという。向陽高に赴任する前、かつて学んだ教室にクラスメートやなぎなたの仲間、担任が集まり、記念写真を撮った。「男生徒はおじさんになっていた。皆に会えて、本当に楽しかった」

グラウンド沿いの海は埋め立てられ、窓から見える風景も変わった。それでもお互いの顔を見て、楽しかった日々が一気によみがえった。

8

村田涼子氏　　　　儀間朝浩氏

浦添市に拠点を置く社会福祉法人・若竹福祉会の総合施設長、村田涼子 (68) は26期。「当時は苦学生が多く、私たちも貧しかった。今思えば、貧しい時代の中で希望に燃えていた」と振り返る。

52年、佐敷村 (現南城市佐敷) 仲伊保の生まれ。佐敷小、佐敷中を経て68年に知念高校に入学する。5人姉妹の長女。生活は苦しく、差別を肌で感じる少女時代を送った。

「母が台湾人で差別や偏見を受けることがあった。貧しさの中で差別される痛みを感じてきた」

70年刊の知念高校文芸誌「あだん」23号に村田の詩「母の姿」が載っている。

「頭が痛いと／夕べは寝ころんでしまった母さん／ムリしたんだネ…／いつも金に追いかけまわされて／働くことしか知らない母さん」

差別されながらも「母は人を愛し、感謝することを忘れなかった」と村田。その姿に娘たちは影響を受けた。姉妹5人のうち4人は福祉の分野に進んだ。

高校では復帰運動の熱気を感じ、刺激を受けた。「先生たちはパワーにあふれていた。先輩たちも正義感が強く、私たちは無関心ではいられなかった」と語る。自身の境遇から哲学

にも興味を持ち「なぜ生きるのか、どう生きるのか」を探究することもあった。

高校2年まで陸上部に所属した。下校時、学校近くの天ぷら屋に寄った。「天ぷらにたっぷりソースをかけて食べ、水をいっぱい飲んで空腹を満たした」

卒業後、結婚。家にじっとしている性格ではなかった。点字や手話を学び、南風原町で手話サークルをつくって活動した。82年、若竹共同作業所にボランティアとして参加する。以来39年、がむしゃらに走ってきた。

虐待など厳しい環境にある人たちを仲間として受け入れてきた。その仲間から多くを学びながら、福祉の道を歩んできた。

「彼らが私を導いてくれた。私は今を一生懸命に生きるタイプ。そこに導き手がいて、教えられてきたというのが実感です」

共同通信那覇支局長の儀間朝浩（60）は34期。ペルー日本大使公邸人質事件やイラク戦争で従軍取材を経験した。

1960年、知念村（現南城市知念）知名の生まれ。根っからの野球少年で、知念高でも野球部に入った。「キャプテンをやったが、それほど野球がうまい方ではなかった。代打で出て、ライトやセンターを守った」

当時の部員とは今も連絡を取り合う。「けんかもしたけど、高校時代の仲間は一生の付き合いだ」と儀間は語る。失恋も経験した。「青春の思い出で

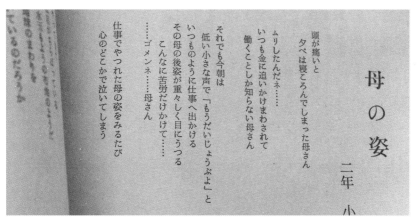

母の姿
二年　小

頭が痛いと
夕べは寝ころんでしまった母さん
ムリしたんだネ……
いつも金に追いかけまわされて
働くことしか知らない母さん

それでも今朝は
低い小さな声で「もうだいじょうぶよ」と
いつものように仕事へ出かける
その母の後姿が重々しく目にうつる
こんなに苦労だけかけて……
……ゴメンネ……母さん

仕事でやつれた母の姿をみるたび
心のどこかで泣いてしまう

……ているのかわかるのだろうか

知念高校文芸誌「あだん」に載った村田涼子氏の詩「母の姿」（知念高校図書館所蔵）

す」

　夏の高校野球県大会が終わった後、記者職に関心を抱くようになった。新聞紙面に載った中国に関する記事がきっかけだった。

　「情報が少ない時代、記事が中国の実像を伝えてくれた。その時、記者を意識するようになった」

　琉球大学法文学部に進み、英字雑誌を発刊するサークルで活動した。84年に共同通信に入社。国内の支社・支局で基礎を学び、93年に外信部に移る。ニューヨーク支局に着任した直後の96年12月、ペルー日本大使公邸人質事件が起き、現場へ急行した。

　2002年秋、パキスタンのイスラマバード支局に赴任。03年3月から4月、米軍に従軍し、イラク戦争を取材した。

　「現場を回るのが自分の性に合っている。不安はあるが、紛争地を取材したかった。今考えれば無鉄砲だった」

　約1カ月の従軍の間、視界を失うほどの砂嵐に巻き込まれ「初めて後悔した」。4月6日には邦人従軍記者として初めてバグダッドに入り、銃撃戦にも巻き込まれた。ウチナー姓の従軍記者が激戦地から送ってくる記事が沖縄の新聞にも連日載った。

　希望していた那覇支局に赴任したのは2020年8月。1960年に支局が開設されて以来、県出身者の支局長は初めてだ。

　「本土の人はまだまだ沖縄を知らない。『本当は基地に賛成なんでしょう』と平気で言う。ヘイトもそう。そういうものがはびこらないよう役割を果たしたい」

　紛争地をくぐり抜けてきたウチナーンチュ支局長の決意である。

1

川満博昭氏　　　島尻勝彦氏

2021年3月6日、県立伊良部高校の第35回卒業式と閉校式が開かれ、37年の歴史に幕を下ろした。卒業生の総数は2175人。最後の卒業生は5人であった。

離島振興と教育の機会均等を図るため1984年4月、宮古高校伊良部分校が開学した。高校設立を求め地域の取り組みが実った。86年4月には伊良部高校として独立開校した。

「小さな島から大きな挑戦」を合言葉に教員と生徒、地域が一体となって学校をもり立てたが、過疎による定員割れが課題だった。2015年に町民悲願の伊良部大橋が実現したものの人口流出が続き、18年に閉校が決まった。

卒業式・閉校式に続いて「感謝の集い」が開かれた。あいさつに立った

伊良部高校同窓会会長の川満博昭（52）は「伊良部高校が閉校になっても私たちが受けた教育は消え去ることはない」と壇上から会場の出席者に語り掛けた。

川満は伊良部高校の1期。県立宮古病院の医師として地域医療に尽くしてきた。

開校時、高校設立をめぐって「島に閉じこもっていては勉強などで切磋琢磨する機会が減るのではないか」という声を聞いた。川満自身は「伊良部高で学ぶことが不利だとは思わなかった」と話す。

開校から37年を経ての閉校。「高校生の時、こういう未来が来るとは思わなかった」と語るが、母校への感謝の念は変わらない。

「伊良部の人々は自分たちのことは自分たちで何とかしようという思いが強い。そして子どもを大事にしてきた。その発露として高校ができた。僕たちはみんなに大事にしてもらった」

同窓会副会長の島尻勝彦（52）は川満と同じ1期。現在、宮古島市役所に勤めている。「学校がなくなるのは寂しいが、2175人の卒業生が育っ

た。これからは同窓会として地域に寄与したい」と思いを新たにする。

「84年に入学した時は、何もない学校だった」と振り返る。「毎週水曜の7校時の勤労体験学習で花壇を造って花を育て、木を植えた。生徒と先生が親睦を深めながら作業した。自分たちで高校をつくったという誇りがある」

同窓会として島内の学校図書館に文庫を創設することや福祉ボランティア活動に取り組むことを考えている。「学校はなくなっても同窓会はずっと続きますよ」

伊良部島の酒造所・宮の華の社長、下地さおり（51）は2期。「目の前に学校ができ、同級生のほとんどが伊良部高に入学した。先生と生徒の距離は近く、3年間、エンジョイできた」と振り返る。

始業前の「ゼロ校時」の授業が思い出という。「勉強は嫌いだったけれど、『ゼロ校時』は新鮮で楽しく学べた。校長の岡村一男先生も授業に出てくれた。それが記憶に残っている」

島の豊かな自然の恩恵を受けて育った。「カタツムリを調理したり、野イチゴを食べたり。ちょっと貧乏だけど、今で言えばエコ。私の心と体に自然のありがたさが染み込んでいる。伊良部に生まれて良かった」と語る。高校を卒業後、島を離れたが23歳で戻り、家業の酒造所で働いてきた。

2021年3月で閉校した伊良部高校の正門

下地も寂しさとともに閉校を受け止める。

「いろんな体験ができた学校だ。閉校は寂しいが時代の流れもある。変化している時代の中で、地元の会社として何ができるかを考えていきたい」

卒業生はそれぞれの場で母校の閉校を受け止め、島の将来を見つめている。下地の思い出に残る初代校長、岡村一男は閉校式にメッセージを寄せた。

「地域の情熱と開校の精神は人々の心に確と刻まれ、学園を巣立った二千有余の若鷹の胸に生き、飛躍へのエネルギーとなる。母校は永遠である」

伊良部高校沿革

1984年4月　宮古高校伊良部分校設置

・86年4月　伊良部高校として独立、開校

・2003年4月　中高一貫教育、全県校区制を導入

・03年8月　男子バレーボール部がインターハイ出場（全国大会に6回出場）

・18年6月　県教育長、19年度入学生募集停止を決定

・21年3月　第35回卒業式・閉校式

2

伊良部高校37年の歴史で特筆されるのが男子バレーボール部の活躍だった。県高校総体や春の高校バレーに出場した伊良部高バレー部の

37年の歴史を閉じた伊良部高校の卒業式。最後の卒業生は5人だった＝2021年3月6日、宮古島市伊良部

多和田貴幸氏

元長賢太氏

嘉大雅氏

プレーは県内外の注目を集めた。卒業式・閉校式にはバレー部の元部員も姿を見せた。

多和田貴幸（36）は17期。3年間、バレー部に所属し、九州大会にも出場した。「夏休みや正月で帰省した先輩たちが練習に集まって、一緒に汗を流した。みんなで伊良部高のバレーを盛り上げようという雰囲気がとても良かった」と懐かしむ。

島内二つの中学校から生徒が伊良部高に入学する。同級生は皆、顔なじみだった。「部活で競い合った相手が一緒に伊良部高に入るので、最初からアットホームな環境だった」と語る。

在校時から定員割れが続くようになる。生徒会長として生徒のまとめ役を担った多和田は伊良部高の全県校区制導入（2003年）に向け、生徒を代表して宮古各地の中学校を回って学校をPRした。「伊良部高校は先生と生徒の仲がいい。ぜひ来てくださいと呼び掛けました」

伊良部高を卒業後、多和田は福岡の大学で学び、那覇で働いた。2年前、下の子の誕生を機に宮古に戻り、市内でカフェを営んでいる。「雰囲気がどんどん変わっている。伊良部高校の閉校は寂しいけれど、小さな学校で思い出を共有できたのは良かった」

元長賢太（32）は21期。現在、宮古島市役所で働いている。卒業式で後輩たちの門出を見守った。

「3年間、バレーをやった思い出が一番だ。1年生の時（04年）にインターハイに行き、翌年、春高バレーに初出場した。先輩たちの力だ。いい経験をさせてもらった」

大学進学、就職で島を12年離れ、2年前に宮古へ戻った。多和田と同様、伊良部の変化に驚きつつ、母校の閉校を惜しむ。

「橋が開通し、建物が増え、だいぶ変わった。それをいい方向で受け入れ、発展してほしい。閉校は寂しいが、伊良部高校という名前、こういう高校

伊良部高校 校歌

作詞・岡村一男　作曲・崎山用豊

黎明告ぐる　南の　文化の潮　寄るところ
雄飛の歴史　燦然と　世界に拓く　海と空
学ぶ友垣　意気に燃え　永遠に伸びゆく　伊良部高校

QRコードから校歌が聞けます

があったことを忘れないでいてくれれば、と思う」

　琉球放送のアナウンサー、嘉大雅（28）は26期。卒業式と閉校式があった日、生放送の仕事にいそしんでいた。しばらく島に帰っていないという。

　小学生の頃からバレーボールに打ち込んできた。伊良部中在校時は県中学選抜チームの選手に選ばれ、週末は西原町に通い、練習に励んだ。本島の強豪校への誘いもあったが、伊良部高校を選んだ。その時の心境をこう振り返る。

　「美ら島高校総体（2010年）のバレーボール競技が宮古島で開催されることになり、僕は同級生と一緒に大会に出ようと決めた。それがお世話になった島の人たちへの恩返しにもなると思った」

　地域の人々は生徒の活躍を物心両面で応援した。嘉の母もバレーボールに打ち込む息子を支えた。「うちはシングルマザーの家庭だったが、母は私のやりたいことをさせてくれた。不自由な思いをさせたくなかったのだろう」

　3年間の高校生活のうち「9割はバレーボールだった」と振り返るほど練習に打ち込んだ。ポジションはオポジット。要の選手だった。練習は厳しかった。

　「午後4時に授業が終わって、5時から午後10時まで練習した。体育着は汗だく。3年間、体中がびしょびしょの記憶しかない」

　美ら島総体では強豪と競り合い、嘉の活躍が新聞紙面を飾った。高校を卒業し、沖縄国際大学に進む。バレーボールからは離れた。「3年間でやり切った。後悔はありません」

　大学時代、モデル活動を経験。16

年に琉球放送に入社した。正社員として働くよう母が望んだという。「僕がラジオやテレビに出ると、母や僕と関わりのある人が喜んでくれる」。那覇のスタジオにいて島の優しい風を感じている。

37年の歴史を閉じた伊良部高。嘉は「悲しい、というよりありがとう、お疲れさまという温かい感情だ」と閉校を受け止める。

母校は心の中にある。これからも。

37年の歴史を閉じた伊良部高校の最後の卒業生ら＝2021年3月6日、宮古島市伊良部

1

嘉手苅義男氏　　松本嘉代子氏

那覇商業高校は1905年、那覇区立商業学校として創立した。116年の歴史を誇る伝統校である。10・10空襲で校舎を失い、沖縄戦で閉校を余儀なくされる。鉄血勤皇隊などとして戦場に動員され、犠牲となった生徒もいる。

敗戦後の51年に沖縄群島政府立那覇商業高等学校として開校した。戦前戦後を通じて各界に人材を輩出してきた。

オリオンビール会長の嘉手苅義男（82）は戦後の5期。沖縄戦で父を失い、戦後の厳しい生活の中で那覇商業高で学んだ。「貧乏で、子育てに苦労する母を助けるため、早く働きたかった」と振り返る。

オリオンビール創業者の具志堅宗精の薫陶を受けた。「仕事というもの

に完成はない。次から次へと仕事が生まれてくる。だから仕事は面白い」と嘉手苅は語る。

屋部村（現名護市）旭川で生まれ育った嘉手苅が那覇に転居したのは小学校5年の時。「旭川では教育ができないと母は考えたようだった。那覇の桜坂にトタン屋根の家を借りて暮らし、母は平和通りで働いた」

1955年、那覇商業高に入学。母を支え、平和通りで働く生活が続いた。「野菜を売り、反物を担いだ。学校で同級生といるより、平和通りでおばさんたちと過ごす時間が長かった」と回想する。

昼食を満足に食べることはなく、日用品にも事欠く耐乏生活が続いた。忘れられない思い出がある。

「カミソリを買えず、ひげを伸ばしたまま学校に通っていたら校長に呼び出された。女生徒が怖がって逃げるほどの格好だった」

そんな嘉手苅に優しい言葉を掛けてくれたのが教師で牧師の運天康正だった。「先生もひげを伸ばしていて、『剃らなくていいよ』と話してくれた。運天先生に助けられた」

卒業後、第一相互銀行（現沖縄海邦銀行）に入行。63年にオリオンビール販売に入社し、35歳から具志堅宗精の秘書を6年務めた。

「親父以上に鍛えてくれた。周囲の役員たちは『嘉手苅は空手の巻き藁みたいだ。いくら叩いても戻ってくる』と話していた」と回想する。

那覇商業高を卒業して60年余り。多くの同級生が社業を応援してくれると語る。「卒業生は多士済々。ネットワークも強い。那覇商業を出て良かった」

嘉手苅の同級生に料理研究家の松本嘉代子（82）がいる。同じクラスになったこともある。夫で沖縄月星の社長だった松本光雄も嘉手苅の友人だった。

生まれはフィリピン。戦争中は山中に身を潜めた。戦火に巻き込まれ犠牲となった県出身者もいる。「私たちは食糧があったので生きながらえることができた」

6歳の時、鹿児島に引き揚げ、大分の小学校に入学した。鹿児島で妹を亡くしている。翌年、本部町浜元に帰郷。5年生の時、那覇に移った。「本部には畑がなくて生活できず、那覇に出てきた。両親は新栄通りでアチネー（商売）をしていた」

早く就職するつもりで那覇商業高を選んだ。「家がすごく貧乏だった。

2021年で創立116年を迎えた那覇商業高校＝那覇市松山

『仕事をするなら商業がいい』と父も勧めてくれた」。ところが２年になって大学進学を希望するようになる。

「担任が『大学に行かないか』と勧めてくれた。『お金がない』と返しても『行く意思があるなら進学したほうがいい』と説得された」

卒業後、神奈川の相模女子大学短期大学部家政科へ進み、栄養学を学んだ。学費や生活費の工面に必死だった。「沖縄からコーヒーやココア、缶詰を送ってもらい御徒町のアメ横で売った。父母がそれを理解してくれたのも移民経験、開拓精神があったからでしょう」

その後、東京の料理学校で教師の資格を取得。69年に松本料理学院を開設し、沖縄の食文化の発展に尽くしてきた。近年は琉球料理の継承に力を入

那覇商業高校沿革	
1905年9月　那覇区立商業学校として開校	
・22年5月　那覇市立商業学校に改称	
・40年5月　那覇市立第二商業学校（夜間）創立	
・44年3月　那覇市立商業学校、第二商業学校を廃止、那覇市立商工学校設立	
10月　10・10空襲、校舎全焼	
・45年3月　鉄血勤皇商工隊編成	
・51年4月　那覇商業高校開校	
・72年5月　県立那覇商業高校に移行	
・94年3月　選抜高校野球大会出場	
8月　全国高校野球大会出場	

れている。「食の変化は早い。琉球料理も薄れている。それを取り戻したい」

那覇商業高で学んだ３年を振り返り「東盛良夫先生、運天康正先生、宮城絹子先生。すてきな先生方から刺激を受けた。私は周りの人に恵まれ

1951年に開校した頃の那覇商業高校の正門と校舎（「那覇商百年史」より）

たと思う」と語る。教師たちの言葉の数々は料理一筋に生きる松本の財産となった。

2

仲田清祐氏　　　許田肇氏

　那覇商業高校116年の歴史の始まりとなる那覇区立商業高校（1905年開校）が置かれたのは那覇市久茂地。13年、現在の那覇中学校の地に移転した。22年に那覇市立商業学校に改称。44年には那覇市立商工学校となった。

　「那覇商百年史」によると、現在も歌い継がれている校歌の制定は15年3月。作詞は立山圭介、作曲は園山民平である。なお、校歌制定はそれより4年ほど早く、作詞者を島袋全発とする記録もある（1911年10月26日付琉球新報）。

　沖縄戦で戦前の那覇商業の歴史は40年で終わる。51年の那覇商業高校開校まで6年の空白がある。

　東京で税理士として活動してきた仲田清祐（98）は戦前の35期。東京沖縄県人会会長や東京沖縄経営者協会の会長を歴任し、在京県人のまとめ役を担ってきた。

　伊是名村の生まれ。41年12月に那覇市立商業学校を卒業し、那覇税務署で働いた。戦後は大蔵省税務大学校や中央大学法学部（夜間）で学び、熊本、福岡、東京の国税局や国税庁に勤務した。69年に退職し、仲田会計事務所を開業した。

　東京沖縄県人会長就任は2002年。在京県出身者や県系人の催しには、いつも仲田の顔があった。那覇商関東同窓会の会長も務めた。

　琉球舞踊や詩吟にも造詣が深い。愛唱歌は「汗水節」。母校の校歌も忘れない。コロナ禍で最近は外出を控えている仲田は電話の向こうで那覇商業の校歌を歌った。

　「でいご花咲くうるま島　那覇港頭の森蔭に　学べる若き商士らが　腕（かいな）ふるわん時到る」

　妻の仲田美智子（72）は戦後の14期。卒業後、バス会社勤務を経て国会議員・大城真順の秘書となった。近年は仲田と共に県人会活動にいそしんできた。「これからも夫と頑張ります」と快活に語る。

QRコードから校歌が聞けます

仲田清祐と同じ35期に梯梧の花短歌会会長の許田肇（97）がいる。「本来は昭和17年3月の卒業だったが、太平洋戦争が始まり、16年12月に繰り上げ卒業した」と語る。

那覇市西本町の生まれ。県立図書館に勤めていた父の許田普修は沖縄学の祖・伊波普猷のいとこに当たる。母の重子は郵便局に勤めていた。父と

波上に通い、海と親しむ幼少期を送った。那覇尋常小学校を経て商業学校に進んだのも海に近いから。「現在の那覇中学校の場所に商業学校があった。向かいにミートゥジー（夫婦岩）があり浅瀬が広がっていた」

商業学校では水泳部に所属した。背泳100メートルで1分28秒の記録を出したという。柔道部にも所属し

戦前の那覇市立商業学校（「那覇商百年史」より）

たが、小柄な体躯（たいく）のためいつも投げられっぱなしだった。「受け身だけは上手だ」と周囲に言われた。

放課後は友人と「まちまーい」をして遊んだ。首里城まで足を延ばしたこともある。帰りにまんじゅうを買って食べた。

戦時下の商業学校でも皇民化教育が徹底された。「正門にある奉安殿にいつもあいさつした。教育勅語の意味は分からなかったが『何かがあれば国のために尽くしなさい』ということをたたき込まれた」と語る。

卒業後、徴兵検査を受け不合格となり、肩身の狭い思いをした。その時合格し、現地入隊した同級生の多くが命を落とした。

その後、経理担当として沖縄新報に入社し、地上戦のさなかに沖縄新報の拠点となった首里城背後の「留魂壕」でも勤務した。壕入り口に爆弾が落ち、飛び散った活字を拾ったこともある。新聞社解散後、島尻で至近弾に遭い負傷した。「私は艦砲ぬ喰えー残さーだ」と語る。

戦後、沖縄外語学校で学び、米国民政府保安部や琉球政府で働いた。その後は民間に転じ、国場ベニヤで勤務。国場組創業者の国場幸太郎の通訳を務めた。

28年ほど前、梯梧の花短歌会に入り、これまでの人生を三十一文字につづってきた。2020年、初の歌集『福木の双葉』を編んだ。「私は沖縄戦を生き残ることができたが、命を落とし未来を奪われた人たちのことを忘れたことはない」とあとがきに記した。

沖縄戦を題材とした連歌には犠牲となった友人を悼む歌がある。

「童顔の微笑み顕（た）ちぬ友の名を呼びてなぞりぬ平和の礎」

3

玉城秀子氏　　　金城美枝子氏

玉城流玉扇会二代目家元で重要無形文化財「琉球舞踊」（総合認定）保持者の玉城秀子（79）は那覇商業高校の8期。沖縄の芸能史に名を刻む祖父の玉城盛義の下で芸を磨いた。「盛義の踊りを受け継ぐ」という使命感で芸道を歩んできた。

1941年、那覇で生まれ、父の仕事の関係で満州（中国東北部）へ渡った。

「満州での記憶は全くない」という。沖縄に引き揚げ、玉城盛義から踊りを学んだ。劇団の子役としても活動する。

「劇団と一緒にあちこち回り、学校も転々とした。通知表はなく、教科書は先生から借りた。友達と遊んだこともなかった」

秀子は盛義の養女となり研究所のある那覇市樋川で暮らした。指導は厳しかった。「自分の子はやって当たり前。目で見て覚えなさいという感じだった」。祖母もしつけに厳しく、小学生の頃から炊事、洗濯、掃除を任された。

中学に入っても部活動はできず、受験勉強に打ち込む余裕はなかった。それでも那覇商業高校の制服にあこがれ、進学に消極的だった祖母に受験を許してもらった。「入学式の日、制服を着て登校した喜びは大きかった」と語る。

1年生の時の遠足で中城公園まで歩いたことが記憶に残る。「道路のアスファルトが熱くて、足が痛かった」。2年生の修学旅行では船で東京に行き、北海道まで渡った。

体育祭も忘れられない思い出だ。「男女で踊るフォークダンスで男子の手に触れることができなかった。棒切れでつないだんですよ」。綱引きではなぎなたを握って支度を演じた。一緒に演じたのは同じ琉球舞踊の道を歩むことになる金城美枝子だった。

就職はせず、卒業後はひたすら芸に打ち込んできた。「今では、厳しいしつけで芸道に導いてくれた祖母には感謝しています」

71年に盛義が他界した後、玉扇会の支柱となり、75年に二代目家元となった。「玉城の踊りを一代で終わらせてはならないという思いだった」。現在、三代目家元となった息子の玉城盛義（大田守邦）と共に琉球舞踊の至芸を守り続ける。

玉城流扇寿会家元で国指定重要無形文化財「琉球舞踊」（総合認定）保持者の金城美枝子（80）は7期。秀子と共に綱引きの支度を演じたことを懐かしむ。「綱引きは阿麻和利の格好をして、秀ちゃんと一緒に支度をやった。とてもいい思い出だ。学芸会でも踊るのは秀ちゃんと私だと決まっていた」

台湾の基隆で生まれた。水産会社で働いていた父が敗戦翌年に他界し、しばらく会社の宿舎で暮らしていた。舞踊の道を歩み出したのは基隆にいる時だった。母に連れられて姉の谷

田嘉子と共に役者の大嶺朝章の下で学んだ。

沖縄に戻り、2人は玉城盛義の下で学んだ。「玉城先生はあまり話さない。目を見て、先生が何を言おうとしているのか考えた。中途半端な稽古はしない。厳しかった」と話す。姉の谷田とはその頃からコンビ踊りをやってきた。

生活は貧しかった。「父が亡くなり、母一人で苦労しているのを見てきた。那覇商業高に入ったのも就職に有利ということからだった。母を早く手伝いたかった」と語る。

高校生活を送っている間に金城を取り巻く環境は変わった。踊りの仕事を受けるようになったという。学校を早引きすることもあった。「先生は理解してくれて踊りがある日は早く帰してもらった」と当時を振り返る。

高校3年になり、就職活動が始まるとクラスの生徒は誰もいなくなった。卒業前の3カ月間だけ化粧品店に働いたが、卒業後は就職せず、自身の道場を開いた。

1974年、結婚を機に名古屋市で暮らすようになる。沖縄で教えていた弟子に対する責任を果たすため、沖縄と名古屋を往復しながら指導を続けた。30年ほど前、名古屋にも教室を構えた。「4、5人の生徒から始めました。今では名古屋でもうちなーやまとぅぐちで指導しています」

長い芸歴を振り返り、金城は語る。

綱引きのセレモニーは運動会の花形だった（「那覇商百年史」より）

「少しは沖縄の舞踊に貢献できたかなと思っている。踊り一筋でやってきた。どこにもない沖縄の匂いを感じることができて幸せだ」

4

又吉靜枝氏　　　津嘉山正種氏

　玉城流いずみ会家元で国の重要無形文化財「琉球舞踊」(総合認定) 保持者の又吉靜枝 (77) は９期。県立芸術大学の教授として後身の指導にも尽くしてきた。

　1943年、那覇で生まれ、戦時中は大分へ疎開した。敗戦後、船で沖縄に引き揚げる時の逸話がある。

　「甲板で三線を弾く人がいて、それを聞いた私は踊り出したというんです。後に『この子は踊りを続ける運命だったんだね』と言われました」

　一時、那覇で暮らした後、糸満で小学校時代を送った。母の勧めで、７歳のころから具志清進舞踊研究所で学んだ。歌も好きで、美空ひばりがお気に入りだった。

　「地域のお祝いや豊年祭などで踊った。お土産にコーグヮーシーをもらって帰ると母が喜んでくれた。母の笑顔を見たくて踊りを続けた」

　那覇に戻り、上山中学校に入学した。母が体調を崩し、生活は苦しくなったが、舞踊を諦めることはなかった。那覇商業高に進学したのも「給料がもらえるようになったら舞踊を学べる」と考えたからだ。

　入学後、又吉が選んだのはダンス部。モダンダンスの指導者、山里陽子の指導を受けた。「すごく鍛えられた。後の舞踊の創作につながった」と語る。歌にも親しんだ。米歌手ナット・キング・コールの「キサス・キサス・キサス」を歌い、校内コンクールで入賞した。

　62年に卒業後、玉城節子に師事し、銀行などで働きながら芸を磨いた。「高校卒業後の苦しい時期、節子先生から舞踊の基礎を教えてもらった」と回想する。71年には又吉靜枝琉舞道場を開設した。

　沖縄県立芸大には開学時から関わってきた。「学生と同じ気持ちになって自分も勉強できた」という。琉球舞踊の原点を探求し、論文を発表した。「実演家は自分の実技を文字に

して説明することが必要」という思いからだ。

2021年、芸歴70年を迎えた。6月23日の「慰霊の日」に記念公演「千年の祈り」を琉球新報ホールで開催した。「沖縄にとって大事な日です」と又吉。舞台で沖縄戦犠牲者を悼む鎮魂の舞「清ら百合」を演じた。

在校時に新築の体育館で又吉がダンスに励んでいた時、同じ場で演劇に熱中していた同級生がいた。俳優の津嘉山正種（77）である。

那覇の出身。沖縄戦では石川の山中で米軍に捕らわれ、城前小学校に入学した。その後、壺屋小、久茂地小を経て那覇中学校で学んだ。「中学では吹奏楽部でクラリネットを吹いていました」

5人きょうだいで男は津嘉山1人。

「大学進学は中学の時にあきらめていた。就職のことを考え、那覇商業に入った」と語る。

那覇商業高に入学した津嘉山は「新入生歓迎の演劇を見て感動した」ことがきっかけで演劇部に入り活動した。JRC（青少年赤十字）にも加入し、ボランティアに打ち込んだ。生徒会長にもなった。忘れられない活動がある。

「女生徒の夏の制服がなかったので生徒会でデザインして制服を制定した。那覇商業は生徒の自主性を許す自由な校風だった」

卒業後、琉球放送に入社した。当時の同僚に、演劇集団「創造」団員で戯曲「人類館」を書いた知念正真がいた。「知念とは机を並べて仕事をした。彼は仕事をしながら俳優として舞台に

1964年の校舎全景（「那覇商百年史」より）

上がっていた」

　津嘉山も演劇への思いを募らせていた。64年の「創造」第2回公演「アンネの日記」に出演した。その後、本格的に演劇を学ぶために上京し、65年に青年座に入団。長い下積みの中で演技力を磨いた。87年の「NINAGAWA　マクベス」(蜷川幸雄演出)が出世作となった。

　東京を拠点とする津嘉山は今、沖縄の近現代史を描く作品に取り組む。知念の「人類館」はその一つ。「人類館は沖縄の縮図だ。この10年、沖縄に対する差別は変わっていない」

　2020年12月、コロナ禍の厳しい環境の中で「瀬長亀次郎物語」(謝名元慶福原案)を南城市で演じた。「たとえ観客が1人でもやる。観客がいなければ、動画配信でもいい。ヤマトの人々にも見てほしい。沖縄がどれだけ犠牲を払っているのかを知ってほしい」

　熱っぽく語る津嘉山の言葉に沖縄で生まれ育った俳優の使命感がにじんだ。

5

　沖縄キリスト教学院理事長の伊波美智子(75)は那覇商業高校の11期

伊波美智子氏　　　　長崎佐世氏

である。「在学中、舟木一夫さんの『高校三年生』や『修学旅行』がはやっていた。吉永小百合さんは同年生。親近感を覚える大スターです」と笑顔で語る。

　1945年、台湾の基隆で生まれ、47年に沖縄に引き揚げてきた。壺屋小学校、真和志中学校を経て61年に那覇商業高に進学した。就職を意識してのことだった。

　「うちは母子家庭だったので、大学進学は夢でしかなかった。働くならば商業学校がいいと考えた。女の子は大学に行かなくてもいいという風潮だった」

　入学時の自身のことを「私は人前でおしゃべりができなかった。ちょっと病弱で、どこにいるのか分からないような子だった」と振り返る。

　そんな伊波にとって那覇商業は刺激的な場だった。

　「全県から生徒が集まった。本島中北部、伊江島や久米島、石垣、竹富な

ど離島の生徒も多かった。とても新鮮だった」

　新たな環境の中で学級委員を任された。ＪＲＣ（青少年赤十字）の活動にも参加した。メンバーにひときわ目立つ先輩がいた。後に俳優となる津嘉山正種である。「津嘉山さんはＪＲＣの会長で生徒会長、演劇部の部長もやっていました」

　他校にもＪＲＣの組織があり、高校間の交流も盛んだった。病弱で目立たなかった生徒は活動的になっていった。「高校に行って初めて学校生活を楽しんだ。変わり始めたのはＪＲＣに入ったからかもしれない」と伊波は語る。

　2年に進級し、進学を意識するようになった。「大学を目指す那覇、首里の生徒がうらやましかった」という。

その頃から受験勉強に励み、現役で琉球大学に合格。琉球開発金融公社にも合格した。「生活も考えなければいけない。公社の給料はとてもよかった。普通に考えれば就職だ」

　ところが一人の教師が「君は大学に行きなさい」と背中を押してくれ、いったん就職した公社を辞め、琉大に進んだ。人生の岐路で伊波は夢を追い掛け、研究者の第一歩を踏み出した。

　伊波が台湾から沖縄に戻って約7年後、宮古から台湾に渡る少女がいた。18期で、ＮＳ琉球バレエ団団長の長崎佐世（69）である。琉球民謡とバレエを融合した独自の舞「琉球クリエイティブ」を追求する。「私はオンリーワンでいたい」と常々語ってきた。

1968年ごろの那覇商業高校の校門、校舎（「那覇商百年史」より）

1952年、伊良部島で生まれ、2歳で祖父母が事業を営んでいる台湾の宜蘭県蘇澳に渡った。家での会話は北京語。この地でバレエと台湾の民俗舞踊を学んだ。小学校5年で沖縄に戻り、那覇市の若狭小学校に編入した。

　9年間の台湾体験は長崎の人生に大きく影響した。

　「中学の頃まで発音が悪く、いじめられた。石を投げられ、けがをしたこともあった。台湾にいる時は琉球人だと言われ、沖縄に来たら台湾人だと言われた」。いじめから自分を守るため「目立たないようにしていた」という。

　那覇中学校を卒業し、68年に那覇商業に入学した。大学進学は考えていなかった。「早く母を楽にさせてあげたかった。大学は別世界。タイプや簿記を学び、いい会社に入ろうという希望をもって入学した」

　1年の時にダンス部に入ったが、2年になり南条幸子の下でバレエに専念するようになった。性格は中学の頃からあまり変わらなかった。「成績は良かったが、人見知りが激しく、臆病でしゃべれなかった」

　3年になり大学進学を意識するようになった。「先生に『佐世ちゃん、大学に行ったら。もったいない』と言われ、進学への思いが募った。恐る恐る母に相談したら許してくれた」

　卒業後、日本女子体育短期大学の舞踊科に進み、須藤武子が主宰する日本民俗舞踊研究所で学んだ。全国から集まった学生たちに支えられ、充実した学生生活を送った。「自由っていいな」と心底思った。内向きだった長崎は大学生活を送る中で変わった。

　帰郷後の1973年にバレエ教室を開設した。オンリーワンを目指す道のりを振り返り、長崎は語る。

　「この年になり、いろんな人に導かれ、つながっていることを実感するようになりました」

6

嘉手納成達氏　　　太田守明氏

　2001年から12年まで沖縄海邦銀行の頭取を務めた嘉手納成達（76）は10期。「歴代の頭取にも那覇商業の出身がいます」

1945年1月、大阪市で生まれ、3歳ごろ沖縄に引き揚げてきた。具志川で暮らした後、那覇市与儀に小さな家を構えた。

「父が建てたのは掘っ立て小屋。周囲もそういう家ばかり。きょうだい4人で私が長男。終戦直後で貧しい生活をしていた」

開南小学校、上山中学校で学び、60年に那覇商業に進んだ。嘉手納の家庭の事情を察した中学校の教師が勧めたからだ。「明確な進路はなく、那覇商なら就職しやすいと思った。大学進学は考えていなかった」

那覇商には各地から生徒が集まった。「宮古、八重山、伊江島から入学してきた。離島出身の生徒は非常に優秀だった」と語る。

小遣いを稼ぐため、夏休みはアルバイトにいそしんだ。農連市場でスイカを売り、那覇港で港湾業務に汗を流した。「港の労務はわりと給料は良かった。服や靴を買った。まだ貧しい社会だった」

63年、沖縄相互銀行（現沖縄海邦銀行）に入行した。特に金融の世界に興味があったわけではなかった。軍道1号線（現在の国道58号）沿いにある銀行本店を見て「うま、ましあらに」

（ここ、いいんじゃない）と友人と語り合ったことを覚えている。「立派な建物を見て就職を決めた。私は銀行員のことをあまり知らなかった」

新人行員として働く嘉手納は激動に巻き込まれる。「キャラウェイ旋風」だ。顧客の元帳まで琉球警察に押収され、銀行は大混乱となった。71年の「ドルショック」では通貨確認のため夜通し働いた。

銀行を離れて9年。嘉手納は「コンピューターのなかった時代、商業学校の卒業生は銀行のテクノクラートだった。銀行も僕らを人材として扱ってくれた」と語る。そして言葉を継ぐ。

「那覇商業を卒業して良かった。学校で簿記とそろばんを学び、銀行では実学を学んだ。実学社会で働くため懸命だった」

そう語る嘉手納の言葉に、たたき上げの誇りがにじむ。

りゅうせき社長、りゅうせきネットワーク会議議長を務めた太田守明（75）は12期。「自由な校風、生徒は伸び伸びしていた」

1946年5月、本部町伊豆味で生まれ、コザで育った。「12人の大家族。食べるのに精いっぱいだった。長男、次男、長女は中学を卒業して、すぐ就職

した」

　家計を助けるため、小学校の頃、新聞配達をやった。「配達の途中に犬に襲われてけがをした。今でも犬は苦手だ」という。

　美里小学校、安慶田小学校、コザ中学校で学び、「就職のため」に62年、那覇商業に入学した。生活苦から大学進学をあきらめていた。

　もう一つ、那覇商業を選んだ理由があった。60年に完成した体育館である。太田はコザ中でバスケットボール部に所属していた。「那覇商のバスケ部は体育館で練習できるので強かった」。レギュラーではなかったが、静岡県で開催されたインターハイに派遣された。

　コザから学校へ通った。生活のため、高校3年間アルバイトに励んだ。

「授業料とバス賃は親が出すけど、それだけでは足りない。山形屋で盆暮れの中元、お歳暮を配達するアルバイトをした。自転車で那覇の隅々まで回った」

　同級生の中には琉球大学や本土の私立大学を目指す者もいた。進学に熱心な教師もいたが、太田は「自分は経済的な事情で大学へ行けない。就職する」と教師に伝えていた。それでも、進学の夢は残った。「お金があれば大学に行きたい」

　琉球石油（現りゅうせき）への就職を決めたのは募集の張り紙がきっかけだった。入社後、大卒との待遇の違いを知り、沖縄大学の夜間部で4年学んだ。創業者で参院議員となる稲嶺一郎は「勉強する若者に寛容だった」という。

1962年頃の中庭（「那覇商百年史」より）

「稲嶺さんは事業を興すことや人材育成に情熱を持っていた。私は経営の基礎を那覇商業で学び、創業者と稲嶺恵一さんに薫陶を受け経営学を学んだ」

りゅうせきを離れた後も太田は人材育成に関する団体の役職を続けている。「私が学んだ那覇商業、人材育成に頑張った会社のことを考えてのことです」と太田は語る。

7

東恩納盛男氏　　外間哲弘氏

経済界だけでなく琉球舞踊など沖縄の伝統文化の世界に人材を輩出してきた那覇商業高校。空手の世界にも卒業生がいる。

国際沖縄剛柔流空手道連盟最高師範で県指定無形文化財保持者の東恩納盛男(82)は5期。海外での指導歴は53年。沖縄空手界を代表する国際派だ。

1938年、那覇市壺屋で生まれ、壺屋小学校で学んだ。「精神的に弱く、山学校ばかりだった」と少年期を振り返る。「山学校」といっても遊ぶ場所は海。

「校門でUターンして波上に泳ぎに行った。学校では人と会うのも話すのも嫌いだった。方言ばかり使うので罰を受けたこともあった」

見かねた父は空手演武の会場に息子を連れ出す。父は警察官で空手を学んでいた。「空手はいいなと思った」。気弱な少年の心に響くものがあった。那覇中学校に通っている頃は「ミートゥジ」(夫婦岩)の近くで蹴りや突きをしていた。空手への関心が募っていった。

1955年、那覇商業高に入学。10月になり空手部に入った。入学から半年遅れたのは「人見知りする性格」のためだった。3期上の島袋常隆から空手を学んだ。さらに島袋の紹介で剛柔流の開祖・宮城長順の高弟である宮城安一の指導を受けた。空手のおかげで学校嫌いの性格が変わった。「稽古のため学校は毎日行った」

卒業後、当時の金融機関の一つ「みやこ無尽」で1年ほど働いた後、拓殖大学へ進んだ。在学中、県出身者が代々木で開いていた空手道場を任されるようになる。都内の大学でも指導

した。腕立て伏せや腹筋運動の基礎鍛錬で弟子を鍛え上げた。

初の海外指導は68年。帰郷後、那覇に構えた道場には各国から空手家が訪れるようになった。空手を通じた国際交流に力を注いできた。

今、沖縄伝統空手のユネスコ無形文化遺産登録を目指す運動に取り組んでいる。「人と目を合わせるのが嫌だったが、空手をやることで直った。空手のおかげ。空手に感謝だよ」と東恩納は穏やかに語る。

沖縄剛柔流拳志會空手道・古武道総本部を率いる外間哲弘 (76) は11期。西原町内の道場に空手博物館を併設している。

1944年、疎開先の台湾・高雄で生まれ、4歳頃、沖縄に引き揚げた。具志川 (現うるま市) の川田で暮らし、母方の祖父がいる首里を経て、那覇の与儀に落ち着いた。川田にいる時、戦地から父が復員した。「それまで父の顔は知らなかった。一緒にドラム缶のお風呂に入った記憶がある」

きょうだいは6人。生活は苦しかった。父は事務職をしながら軍隊時代に学んだそろばんを生かし、塾を開いていた。「今の神原小学校の辺りに残っていたカンポー穴 (艦砲弾の穴) に水がたまってカエルが鳴いていた。朝、父とカエルを捕って、家族で食べた」

空手を学び始めたのは首里にいた6歳の頃。小林流の開祖・知花朝信ら沖縄伝統空手の担い手から学んでいた祖父、徳山盛健の手ほどきを受けた。寄宮中学校ではテニス部と剣道部に入り、首里の祖父から空手の指導を受けた。

1950年代の朝礼風景 (「那覇商百年史」より)

そろばん塾を営む父を手伝うため那覇商業高を選んだ。空手部にも所属し、稽古に打ち込んだ。入部時、手荒い歓迎会を受けた。

「シンメーナービにぜんざいを作って歓迎してくれた。鍋の中には瓶のふたや押しピンも入っていた。今なら大変なことになる」

与儀にある剛柔流の比嘉世幸の道場にも通った。ここで古武道の又吉眞豊とも出会い、技を学んだ。外間は忙しい高校生活を送った。「授業が終わって空手部で稽古。その後、コッペパンを食べながら与儀の道場へ。家に戻ったら、そろばん塾で父を手伝った」

卒業後、奨学金を得て千葉商科大学へ入学した。空手部に所属し、学内の県人会でも活動した。台風や洪水被害に遭った故郷のために救援物資を送ったこともある。帰郷し、高校教師となった後も比嘉や又吉に師事した。78年には自身の道場を開いた。

外間には琉球史を教えるカルチャースクールの講師、書家の顔もある。本部町八重岳にある伝統空手・上地流の開祖、上地完文の銅像の碑文は外間が書いた。那覇商が生んだ多芸な空手家だ。

島仲ルミ子氏　　　大城友宏氏

那覇商業高校が沖縄唯一の商業学校だった1960年代半ばまで離島からも多くの生徒が集まった。

日本産業カウンセラー協会沖縄支部相談役の島仲ルミ子（75）は竹富島出身の11期。2006年1月から1年間、県教育委員長を務めた。

生まれは台湾・基隆である。「台湾からの引き揚げ船に乗った時、母が産気づいて私が生まれた」。しばらく台湾で過ごした後、家族で竹富に戻った。

「女ばかりの6人きょうだいで、私は4番目。うちは貧乏で親の手伝いをしなければならなかった。父が海に潜って捕った魚を私と姉が売り歩いた。そうしなければお金がなかった」

厳しい生活の中で向学心を抱き、高校進学を望んだ。3人の姉は中卒で働いていた。「那覇商業を出れば仕事ができると思った。条件が許せば大

学にも行きたかった」と語る。

61年、那覇商業に入学した。那覇市牧志で暮らす姉家族と同居し、お手伝いをしながら学校に通った。制服を着て、公設市場で買い物をするのが日課だった。

言葉にカルチャーショックを受けた。「竹富ではあまり方言を使わなかった。学校では離島出身の生徒も皆、那覇の方言を使う。言葉が通じないなと思った」

英会話クラブや英文タイプクラブに所属した。学校周辺にあった外国人住宅で英会話を学んでいた友人もいた。ペンパルで文通をしたペンフレンドとは今も関係が続いている。

卒業後、大手家電メーカーの代理店に就職。東京に本社を置くビジネスコンサルタント会社の支店にも勤めた。その後、沖縄電子計算センター（現OCC）に1966年の設立時から20年勤めた。「経理、人事、社員教育、広報など、さまざまなことをやった」

これらの経験を生かし、企業・団体の教育訓練研修の分野で活動する。94年には日本産業カウンセラー協会の沖縄分会を設立した。沖縄における産業カウンセラーの先駆者だ。

人材育成、学びの場の確立に力を注いできた。「沖縄の人がお金を使わずに勉強できるシステムが必要」と語る。今も向上心を抱き続ける。「これからでも大学に行きたいですね」

同じ11期で、沖縄ツーリスト元常務の大城友宏（75）は伊江島の出身。しかし、伊江島で生まれたわけではな

1960年代の職員室の風景（「那覇商百年史」より）

い。「沖縄戦で島民が米軍に捕らわれて渡嘉敷と慶留間に移された。僕は慶留間で生まれ、2年後に伊江島に戻った。島には米軍の飛行場が造られていた」と語り、こう付け加える。「伊江島の歴史は沖縄の縮図だ」

伊江村立西小学校を卒業し、伊江中学校で学んだ。そろばんに励む生徒だった。父は漁師。米軍機のジュラルミン製燃料タンクで造った船に乗って海に出た。

「僕も15歳まで漁師だった。高校入学で島を出る前日まで海で働いた。高校に行かなければ僕は漁師を継いでいた」

村の育英資金を得て、那覇商業に入った。入学式の時、付き添いの父と一緒に初めて那覇に来た。那覇高校の定時で学んでいた姉がお手伝いをしていた弁護士の家で暮らすことになった。

「バス停の場所が分からなかった。水洗トイレの使い方も知らない。15歳のカルチャーショックは大きかった」

学校では3年間、英文タイプクラブに所属した。思い出に残るのがスポーツ競技の応援。「先輩の応援は後輩の義務。何十曲もの応援歌を覚えた」と語る。

64年に卒業し、沖縄ツーリストに入社した。創業6年の若い会社だった。旅行業のことを知らなかった大城はがむしゃらに働いた。「経理の仕事をしながら添乗員もやり、夜通し働いた。きついけど、それが当たり前だと思っていた」と振り返る。

90年代以降、東京支店長を長く務め、在京沖縄県出身者とのネットワークを築いた。関東沖縄経営者協会を引っ張った那覇商業の先輩たちの知遇も得た。「沖縄出身者のために尽くした仲田清祐さんや仲本潤英さんです。とてもお世話になった」

県出身者、那覇商卒業生の縁を大切にしてきた大城は現在、那覇商業高校同窓会の副会長を務めている。

9

那覇商業高校を卒業し、県経済の牽引役を果たした人は多い。その中に5期で県経営者協会元会長の知念栄治（82）がいる。

1939年、本部町の生まれ。那覇商業から法政大学に進学し、62年に琉球石油（現りゅうせき）に入社した。創業者の稲嶺一郎から経営哲学を学んだ。93年、りゅうせき社長に就任。

知念栄治氏

具志孝助氏

垣花章氏

2006年から県経営者協会会長を2期6年務めた。

りゅうせき副社長から07年に副知事となった安里カツ子は13期である。働く女性のリーダーとして注目を集め、男女共同参画の推進に向けて行動した。

政治の道を歩んだのは10期で元県議の具志孝助(76)。那覇市議、県議で通算39年の議員生活を送った。2008年には自民党県連会長となった。

1944年9月、当時の小禄村高良で生まれた。陸軍の兵士だった父は、生まれたばかりの息子を一目見て「良かったね」と妻に声を掛け、部隊に戻った。

「私が父と会ったのはこの1回だけ。島尻で戦死したという。遺骨もない」

土地を米軍に接収された住民が集まり、にぎやかな街となった高良で育った。小禄中学校では陸上競技で活躍。60年に那覇商業へ進んだのも陸上部にいる先輩の誘いがあったからだ。入学前に陸上部の一員として合宿に参加した。

完成間もない体育館で入学式を迎えた。「経済界に進出し、社会で活躍している先輩たちの協力で体育館を造った」という宮島長純校長のあいさつを覚えている。「立派な先輩方が社会に貢献していることを伝えたかったんでしょう」と具志は語る。

「高校3年間、部活漬けだった」と振り返る。炎天下、波上に近い埋め立て地で練習した。最後は海に飛び込み、体を冷やした。

卒業後、専修大学に進学。帰郷後は郵便貯金住宅等事業協会に籍を置きながら青年活動に打ち込んだ。「地域のために尽くすのが若者の役目」という考えからだ。

力を入れたのが米軍基地によって封鎖されていた小禄地区の幹線道路の開放だった。「開放すれば小禄の発

展は約束される」と呼び掛け、住民大会を開催した。具志は地域の青年リーダーとなった。

1972年5月15日。東京で開催された復帰記念式典に、具志は沖縄青年代表として決意表明した。もう一人の代表と共に「返還協定は必ずしも満足しうるものではないが、残された問題については両国政府が逐次解決していくものと期待する」と述べた。

77年、地域の声を受け那覇市議に。92年には県議に転じた。理想と現実のバランスを見据え、政治の世界で行動してきた。

那覇市議会議長を務めた亀島賢優は同じ10期。久米島町の出身。専修大学卒業後、兄と共にパン製造の家業を継ぎ、販売を拡大した。1985年、市議に初当選した。

元琉球放送のアナウンサーで現在フリーで活動する垣花章(74)は12期。放送人として沖縄の今を見つめ、発信してきた。

1946年、宮古島市で生まれ、就学時にコザに転居した。その後は那覇で育ち、壺屋小学校や前島小学校で学んだ。そろばんに励み、教科書の朗読が得意という児童だった。

59年、那覇中学校1年の時、沖縄で

テレビ放送が始まった。国際通りでプロレス観戦の群に加わった。兄が作ったラジオで歌番組を聞いた。「その頃からアナウンサーになりたいと周囲に話していた」と語る。

62年、那覇商業に入学。銀行に勤めることを考えたが、自身の夢も温めていた。「アナウンサーになるには大学に行かなければならないと思い、1年の頃から塾に通っていた」

高校3年の時に見た東京オリンピックの実況中継が心に残っている。「開幕式や女子バレーボールの中継が忘れられない。午後7時のニュースも好きだった。共通語ってきれいだと感じた」

3年間、卓球部に所属した。演劇部にも関わり、舞台に立ったこともある。

卒業後、同志社大学に進学。アナウンサーを目指し、新聞学を専攻した。学内で米統治下にある沖縄の現状について学び、復帰の可能性を論じた。「復帰はできないかもしれない。しかし、復帰を成し遂げなければならない」という思いに駆られた。

大学には5年通って70年に卒業。琉球放送の試験を受け、合格から3日後、マイクの前に立った。「できないか

もしれない」と思っていた復帰を巡るめまぐるしい動きを伝えるニュースを読んだ。「信じられなかった」という。

90年代、報道の現場にも身を置き、福祉・教育問題を取材した。マイクに向かって50年余。多くの人との出会いがあった。「僕は人という財産をつくることができた」と垣花は語る。

10

国仲涼子氏

国仲涼子（42）は那覇商業高校の45期。卒業後上京し、俳優としての道を歩み始めた。2001年に出演したＮＨＫ朝の連続テレビ小説「ちゅらさん」は社会現象となった。デビューから23年。「私は人に恵まれ、皆の力でここまで来ることができた」と回想する。

1979年、那覇市で生まれた。市立上間小学校に通っている頃、そろばんを学んだ。寄宮中学校では陸上部に所属した。幼い頃から活発な子だった。「おてんばでした。ショートカッ

トで色黒。男の子に間違われて、『ぼく？』ってよく言われた」と笑う。

志望校は早い時期から決めていた。「そろばんが好きで数学も得意。那覇商業に絞っていた」と話す。ほかにも理由があった。

「夏の制服がかわいい。この制服を着たいと思い、那覇商業にしたんです」

制服は俳優で9期の津嘉山正種が生徒会長だった1960年、生徒会の発案で制定した。国仲は95年、この制服に憧れて那覇商業の門をくぐった。

国仲が那覇商業高校に入学する前年の1994年、野球部が春夏連続で甲子園に出場している。「野球部は盛り上がっているなあ」。グラウンドを駆ける同級生に、国仲は熱い視線を送っていた。

自身は部活動には参加せず、アルバイトに励んだ。「高校に入学したらバイトをして稼いでみたいという夢があった」という。バイト先は泊にある軽食店。ほぼ毎日、授業が終わるとバスに乗って通った。夏休みは大忙し。くたくたになるまで働いた。

友人に囲まれ、楽しい高校生活を送った。アルバイトが休みの日は友人と連れだって国際通りを歩いた。コン

ビニでお菓子を買って、波の上ビーチで語らうことも。「トリートメントは何がいいとか、どの美容室がいいとか。こういう会話が楽しかったな」

高校生らしい悩みもあった。「あの年頃は何に対しても敏感だし、傷つきやすいし、もろかった。頑張って大人になろうと必死だった」と振り返る。特に進路や就職のことで友人と悩みを共有した。「無趣味で好きなものが見つからない自分に焦った。何になりたいんだろうと悩んだ」

そんな頃、バイト先で芸能事務所にスカウトされた。仕事があるか分からないし、不安でいっぱいだった。両親は「何事も経験。取りあえず行ってごらん。だめだったら帰っておいで」という考えだった。

芸能界という未知の世界に踏み出していいのか。東京で暮らせるだろうか。悩んだ末、国仲は担任に相談した。

「どう思っているか意見を聞きたかった。先生は驚くわけでもなく、大きな心で受け止めてくれた。『涼子さんが考えた結果なら応援するからね』と言ってくれたので、ほっとした。先生、お元気でしょうか。会いたいな」

教え子の背中を押した担任、外間美恵子(70)はその日のことをよく覚えている。

「相談されたのは2月の就職休み前だった。芸能界で活動するというので心配だったが、涼子さんはしっかり考えていた。『やりたければ、うんとやっておいで』と答えました」

外間はテレビを通じて国仲の活躍を見守ってきた。「高校時代はおとなしくて謙虚な子だった。決して飾らず、自然体。ドラマを見て、ああ、こういう面もあったんだなと思った」と語る。

98年の卒業後、東京でオーディションとレッスンの日々が続いた。ホームシックになり、両親や友人に電話した。

「友達は『早く涼子がテレビに出るのを見たい』と言ってくれた。『帰ってきたら負けだよ』とも。『帰ってきたら一緒に遊ぼうよ』という友達もいた。それも含め決断するのは私だと思っていた」

芸能界で成功する自信はなかったという国仲の人生は「ちゅらさん」のヒロインを射止めたことで大きく変わった。それがなければ「沖縄に帰っていたと思う」と語る。

ドラマは沖縄ブームを巻き起こし、社会現象となったが、演じている時、

そのような意識はなかった。「撮影の毎日で周囲の状況は把握できなかった。たまに沖縄に帰ると皆に声を掛けられ、びっくりした」

デビューから今日までの歩みを振り返り「いろんなことがあった。全てが順調だったというわけではない。でも楽しく過ごしてきた」と語る。

卒業後、母校を訪れたことはないが、友人との関係は続いている。「友達と会うと力がみなぎってくる。あの頃に戻ることができる」と国仲。それぞれ家庭を築き、悩みながら年を重ねてきた。最近は子育てのことが話題となる。

沖縄を離れて20年余が過ぎ、東京から故郷の変化を見つめてきた。

「少しずつ変わっていく部分を見守っていきたい。でも沖縄らしさは変わってほしくない。具体的には沖縄のおばあの強さ、優しさ。私は沖縄のおばあになれるかな」

那覇商業に通った3年間。「あの頃は分からなかったけれど、なんて幸せな日々だったんだろうと大人になって思うんです」と国仲は語る。そして母校で学ぶ後輩たちに呼び掛ける。

「あのピチピチの時代は帰ってこない。一日一日を楽しんでほしい」

1994年の甲子園春夏連続出場を語り継ぐ記念碑

セピア色の春　―高校人国記―

2022 年 1 月 20 日　初版第一刷発行

編　　集　琉球新報社

発 行 者　玻名城 泰山

発 行 所　琉球新報社
　　　　　〒900-8525
　　　　　沖縄県那覇市泉崎 1-10-3

問 合 せ　琉球新報社広告事業局出版担当
　　　　　電話 (098) 865-5100

発　　売　琉球プロジェクト

制作・印刷　新星出版株式会社